ISA MARA LANDO

VocabuLando Workbook

Exercícios de Tradução e Versão

▸ Inglês-Português / Português-Inglês ◂

70 falsos cognatos e outras palavras capciosas

Com respostas no final do livro

10ª reimpressão

DISAL EDITORA

Consultoria e revisão
Carla Finger

Assistente editorial
Gabriela Canato

Capa e projeto gráfico
Paula Astiz

Editoração eletrônica
Lydia Megumi / Paula Astiz Design

Ilustrações
Cláudio Martins

Dados Internacionais de Catalogação na Publicação (CIP)
(Câmara Brasileira do Livro, SP, Brasil)

Lando, Isa Mara
Vocabulando workbook : exercícios de tradução e versão : inglês-português / português-inglês : 70 falsos cognatos e outras palavras capciosas : com respostas no final do livro / Isa Mara Lando. – Barueri, SP : DISAL, 2008.

Bibliografia.

ISBN 978-85-89533-94-2

1. Inglês – Tradução para o português
2. Português – Versão para o inglês I. Título.

08-01565 CDD-418.02

Índices para catálogo sistemático:

1 1. Tradução e versão : Exercícios : Lingüística 418.02

DISAL EDITORA

Al. Mamoré, 911, cj. 107, Alphaville
06454-040, Barueri, SP
Tel./Fax: (11) 4195-2811

Visite nosso site: www.disaleditora.com.br

Vendas:
Televendas: (11) 3226-3111
Fax gratuito: 0800 7707 105/106
E-mail para pedidos: comercialdisal@disal.com.br

SUMÁRIO

APRESENTAÇÃO: PRATICAR PARA APRENDER

Caro leitor, cara leitora!

Neste livro você poderá praticar a tradução e a versão de 70 palavras importantes em inglês que causam erros comuns de compreensão e tradução. Elas foram selecionados entre os 2 mil verbetes do *VocabuLando – Vocabulário Prático Inglês-Português* (edição revista e ampliada – DISAL, 2006).

Você poderá assimilar essas palavras fazendo os exercícios propostos de tradução e versão e checando as Respostas Sugeridas no final do volume. Além das frases para traduzir, há também exercícios variados para você fixar as palavras de maneira agradável e lúdica, como: associar colunas, completar frases, escrever a legenda das ilustrações, fazer palavras cruzadas.

Ao final de cada parte vêm o Treino de Memória e *Say it in English!*, para você assimilar melhor ainda as palavras que julgou mais interessantes, empregando-as em frases simples de sua autoria. Como diz o provérbio latino, *"Qui scribit, bis legit"* – quem escreve, lê duas vezes.

A proposta é que você trabalhe com inteligência e com prazer nesses exercícios, utilizando como fonte de pesquisa básica o *VocabuLando – Vocabulário Prático Inglês-Português.* Nele você encontrará traduções, explicações e exemplos de todas as palavras aqui estudadas. Outras fontes de consulta estão indicadas na Bibliografia.

Quando este livro estiver bem manuseado você estará alerta para dezenas de "pegadinhas" do inglês, que não mais "pegarão" você. A intenção é que você se aperfeiçoe como tradutor ao buscar boas soluções em português – corretas, naturais, elegantes e adequadas ao contexto. Além disso, você ampliará seu vocabulário ativo em inglês com dezenas de palavras úteis, constantemente utilizadas por pessoas de cultura.

Divirta-se com estes exercícios e bons estudos!

ABREVIATURAS E SÍMBOLOS UTILIZADOS

s. – substantivo
adj. – adjetivo
v. – verbo
adv. –advérbio
sing. – singular
pl. – plural
ex. – exemplo

!!! Tradução errada, a corrigir

► Comando: Traduzir para o português.

▷ (**termo em inglês**) Traduzir para o inglês, empregando esse termo.

Ex.:

▷ (**alumni**) Prezados alunos e **ex-alunos** – Sejam bem-vindos!

(Resposta sugerida) Dear students and **alumni** – Be welcome!

✎ Orientações e comentários

LISTA DAS 70 PALAVRAS ESTUDADAS

Assinale as palavras que você já estudou:

- [x] actual adj.
- [ ] actually adv.
- [ ] address s., v.
- [ ] agenda s.
- [ ] alien adj.
- [ ] alumnus, alumni s.
- [ ] champion s., v.
- [ ] china s.
- [ ] collar s.
- [ ] college s.
- [ ] comprehend v.
- [ ] comprehensive adj.
- [ ] compromise s., v.
- [ ] condition s.
- [ ] costume s.
- [ ] custom s.
- [ ] customs s. pl.
- [ ] data s. pl.
- [ ] deceive v.
- [ ] deception s.
- [ ] deceptive adj.
- [ ] deputy s.
- [ ] dramatic adj.
- [ ] dramatically adv.
- [ ] eventual adj.
- [ ] eventually adv.
- [ ] exquisite adj.
- [ ] exquisitely adv.
- [ ] fabric s.
- [ ] fabricate v.
- [ ] facility s.
- [ ] faculty s.
- [ ] figure s.
- [ ] graphic adj.
- [ ] graphically adv.
- [ ] human s.
- [ ] humane adj.
- [ ] humanely adv.
- [ ] indigenous adj.
- [ ] ingenious adj.
- [ ] ingenuity s.
- [ ] interest s.
- [ ] legend s.
- [ ] legendary adj.
- [ ] material adj.
- [ ] material s.
- [ ] parent s., v.
- [ ] physician s.
- [ ] plant s.
- [ ] prejudice s.
- [ ] pretend v.
- [ ] procure v.
- [ ] procurement s.
- [ ] pull v.
- [ ] push v.
- [ ] rare adj.
- [ ] realization s.
- [ ] realize v.
- [ ] relation s.
- [ ] relative s.
- [ ] resume v.
- [ ] resumption s.
- [ ] sensible adj.
- [ ] stranger s.
- [ ] substitute v.
- [ ] substitution s.
- [ ] terrific adj.
- [ ] utility, utilities s.
- [ ] virtual adj.
- [ ] virtually adv.

Exercícios de Tradução e Versão

PARTE I – FALSOS COGNATOS

38 PALAVRAS IMPORTANTES A FIXAR

1. actual adj.
2. actually adv.
3. agenda s.
4. alumnus, alumni s.
5. collar s.
6. college s.
7. comprehend v.
8. comprehensive adj.
9. compromise s., v.
10. deceive v.
11. deception s.
12. deceptive adj.
13. eventual adj.
14. eventually adv.
15. exquisite adj.
16. exquisitely adv.
17. fabric s.
18. fabricate v.
19. faculty s.
20. indigenous adj.
21. ingenious adj.
22. ingenuity s.
23. legend s.
24. legendary adj.
25. parent s., v.
26. physician s.
27. prejudice s.
28. pretend v.
29. procure v.
30. procurement s.
31. pull v.
32. push v.
33. resume v.
34. resumption s.
35. sensible adj.
36. stranger s.
37. terrific adj.
38. utility, utilities s.

EXERCÍCIO PRELIMINAR

► Corrija esta tradução:

1. I have to ask permission from my **parents**.
!!! Tenho que pedir licença aos meus ~~parentes~~.

Melhor: ______________________________

▷ Diga em inglês:

2. Todos os meus **parentes** vieram ao meu casamento.

____

► Corrija esta tradução:

3. MaryAnn is not my **actual** name, just an artistic name.
MaryAnn não é meu nome ~~atual~~, apenas um nome artístico.

Melhor: ______________________________

► Compare e traduza:

4. Do you follow **current** events?

____

O que há de errado nas traduções 1 e 3 acima?
Actual e **parents NÃO** significam "atual", "parentes". São dois típicos falsos cognatos, ou "falsos amigos".

BREVE EXPLICAÇÃO

O que são falsos cognatos?

São palavras do inglês e do português que "nasceram juntas" (são *cog-natas*), ou seja, vêm da mesma origem latina, mas foram adquirindo significados diferentes ao longo de séculos de uso por diversas populações.

Você decerto conhece outros falsos cognatos como *library, exit, pretend* – que NÃO significam *livraria, êxito, pretender*.

Falsos amigos e amigos verdadeiros

A grande maioria das palavras cognatas em inglês tem significado igual às suas equivalentes em português. Por exemplo, *revolution, marvellous, detective* realmente significam "revolução", "maravilhoso", "detetive".

Por vezes a diferença é pequena – por exemplo, *library* não é "livraria", mas sim "biblioteca" – algo bem próximo.

Em outros casos, porém, os tais **falsos cognatos**, ou **falsos amigos** têm uma diferença de sentido crucial. É o que acontece com *actually, parents* e outras palavras importantes que vamos exercitar neste livro, como *deception, collar, stranger.*

Também há palavras que têm um sentido igual ao do português e outro ou vários outros sentidos ausentes. *Condition* não é só "condição", *figure* não é só "figura", *interest* não é só "interesse". São casos típicos de **polissemia**, que você praticará na Parte II.

Por que existem falsos cognatos?

Inglês – estrutura vs. vocabulário

Note que a **estrutura** da língua inglesa é de origem anglo-saxônica (parente do alemão, do holandês e das línguas escandinavas). Portanto, a construção das frases é bem diferente do português, que é uma língua latina.

Exemplo típico dessa diferença é a colocação do adjetivo antes do substantivo, como em *American movies* ou *a five-year-old girl.* Isso é típico das línguas anglo-saxônicas e não das línguas latinas, onde dizemos *filmes americanos, uma menina de cinco anos.*

Mas considerando o **vocabulário** inglês, ou seja, as palavras isoladamente, nada menos de 70% são de origem latina – quer vindas do francês ou diretamente do latim. Lembre-se de que os normandos (franceses) dominaram as Ilhas Britânicas por cerca de três séculos a partir da conquista de 1066, mesclando assim as duas línguas – o francês dos dominadores e o anglo-saxão dos povos locais. Como o francês era falado pela aristocracia, as palavras de origem francesa e latina em geral se conservaram mais próximas ao sentido original que tinham em latim.

Já o português se originou quase exclusivamente do latim, e as palavras latinas foram mudando de sentido com o tempo, ao serem usadas por gerações de falantes. Por exemplo, *exit* em inglês manteve o significado latino original de "saída", ao passo que em português o sentido de "êxito" passou de *saída* para *fim – conclusão – sucesso.*

Você encontrará neste livro várias observações sobre a etimologia (origem) das palavras cognatas, como em **EXQUISITE, FABRIC, INGENIOUS.** Nos seus estudos, procure sempre a origem das palavras, que consta de todos os bons dicionários. Você ganhará assim uma compreensão melhor dos falsos cognatos.

Vamos treinar!

É muito importante memorizar os principais falsos cognatos. São uma causa freqüente de erros graves de tradução, pois sua má compreensão modifica totalmente o sentido da frase. Fazendo os exercícios, eles deixarão de ser "falsos amigos" e passarão a ser "primos afastados" ou "velhos conhecidos".

Fazendo as **versões para o inglês** você reforçará sua compreensão. Por exemplo, diga em inglês:

Eu morava em São Paulo, mas atualmente moro no Rio.

Ao pensar na frase acima em inglês, você se lembrará que "atualmente" NÃO é *actually.* Procurará então uma solução correta e idiomática, e poderá depois checar sua solução com as Respostas Sugeridas no final do livro.

EXERCÍCIOS DE TRADUÇÃO E VERSÃO

Faça as traduções e versões atentando para a diferença entre as palavras inglesas e suas cognatas em português.

Muita atenção ao contexto!

Todas as palavras em negrito exigem atenção especial. Elas podem ser pesquisadas no *VocabuLando – Vocabulário Prático Inglês-Português* e em outras fontes de consulta. Veja a bibliografia no final deste livro.

ACTUAL adj., **ACTUALLY** adv.

Atenção para esses falsos cognatos, muito sujeitos a erros!

1. O que significa **actual size**?
a) tamanho atual
b) tamanho atualizado, novo
c) tamanho real, verdadeiro

1. ____________________ **SIZE**

▸ Traduza as frases corretamente:

2. This animal is **actually** a colony of several distinct individuals.
3. She described it so well, it made me feel like I was **actually** there.
4. How did you meet your **current** boyfriend?
5. She's American, but she **currently** lives in Brazil.

▹ Traduza para o inglês as frases abaixo, usando **actual** ou **actually** sempre que apropriado:

6. Qual a causa principal dos **atuais** conflitos no Oriente Médio?
7. É muito difícil diagnosticar o problema **verdadeiro/real.**
8. **Atualmente** ensino inglês para crianças e adolescentes.
9. Não tenho o texto completo; **na verdade**, este é só um fragmento.

EXERCÍCIO A
FALSOS COGNATOS – SUBSTANTIVOS

► Faça a correspondência entre cada substantivo em inglês e sua tradução correta.

1. ___ parent	a) físico
2. ___ relative	b) parente
3. ___ high school	c) médico
4. ___ college	d) enganação, golpe
5. ___ deception	e) decepção
6. ___ disappointment	f) pai, mãe
7. ___ physicist	g) faculdade
8. ___ physician	h) escola secundária

AGENDA s.

► Analise as frases abaixo, de 1 a 5. Qual é o sentido de **agenda** em cada uma? Marque-as com **a**, **b** ou **c**. Depois traduza as frases corretamente:

a) agenda, pauta, ordem do dia, assuntos a serem discutidos numa reunião
b) programa, campanha, plano de ação
c) interesses, fins, objetivos próprios, em geral egoístas; segundas intenções

1. ___ These activities are part of our Youth Opportunity **Agenda**.
2. ___ This is a very important meeting, and the representatives are deeply divided over the **agenda**.
3. ___ Some politicians see natural disasters as opportunities to fill their own pockets, to satisfy their own **agendas**.
4. ___ I was just a **naïve** girl and I thought he sincerely wanted to help me. I didn't realize he had his own **agenda** going too.

▷ Traduza estas frases para o inglês corretamente, usando as palavras entre parênteses:

5. (**diary**) "Quando podemos nos encontrar?" "Só um momento, vou pegar minha **agenda**."
6. (**agendas**) Estamos cansados de políticos egoístas, com seus **interesses ocultos** que são tão prejudiciais ao nosso país.

ALUMNUS, ALUMNI s.

► Traduza notando a diferença entre **alumnus** e "aluno":

1. Below is a list of our students, **alumni** and **faculty**.
2. The President is a Harvard **alumnus**.

▷ Traduza para o inglês, usando **alumni**:

3. (**alumni**) Prezados alunos e **ex-alunos** – Sejam bem-vindos!

COLLAR s.

► Traduza notando a diferença entre **collar** (inglês) e "colar" (português):

1. No T-shirts allowed in the bar – **collar** and tie, please.
2. It was cold and rainy. I turned up the **collar** of my leather jacket.

▷ Traduza as frases para o inglês, usando **collar** quando apropriado:

3. Ela herdou um lindo **colar** de pérolas.
4. Ela usava um elegante casaco preto com **gola** de veludo.

COLLEGE s.

► Traduza com atenção ao sentido de **college**:

1. We are looking for **college** graduates with good public speaking skills.
2. So how do you like **college** life, now that you are a freshman?

▷ Traduza as frases para o inglês, usando **college** quando apropriado:

3. **Universidades** do mundo inteiro estão dando seus cursos em inglês.
4. Nós começamos a namorar no **colégio**, quando ainda éramos adolescentes.

EXERCÍCIO B
FALSOS COGNATOS – ADJETIVOS: SINÔNIMOS OU ANTÔNIMOS?

► Analise cada par de adjetivos. Marque com (S) os sinônimos e com (A) os antônimos.

1. ___ actual – virtual
2. ___ ingenious – naïve
3. ___ indigenous – local
4. ___ exquisite – refined
5. ___ terrific – terrible
6. ___ eventual – occasional

COMPREHEND v., COMPREHENSIVE adj.

► Traduza corretamente as frases. Procure oferecer várias opções corretas em português:

1. The process **comprehends** four stages.
2. The book's only flaw is the lack of a **comprehensive** index.

▷ Traduza para o inglês. Onde você poderia usar **comprehend** ou **comprehensive**?

3. Nosso sistema **compreende** dois grandes componentes: hardware e software.
4. Ele não **compreende** inglês.
5. Precisei faltar a várias aulas, mas meus professores foram muito **compreensivos**.
6. Esta é a mais **abrangente** exposição de Picasso jamais reunida.

Note: Em inglês, o verbo **comprehend** também pode significar "compreender, entender", mas esse sentido é menos comum do que o sentido "abranger". Já o adjetivo **comprehensive** NÃO significa "compreensivo, tolerante"; sempre quer dizer "abrangente".

COMPROMISE s., v.

► Traduza com fidelidade ao sentido de **compromise**, diferente de "compromisso":

1. The biggest enemy of peace is intransigence. All of us must make some **compromises.**
2. Let's hope that workers and bosses can reach a **compromise** so that the strike will come to an end.
3. We don't **compromise** on quality. Our products are first-rate.

▷ Traduza estas frases para o inglês. Qual delas pede **compromises** e qual pede **commitments**?

4. O governo precisa cumprir seus **compromissos** ambientais.
5. Estamos prontos para fazer algumas **concessões** territoriais.

DECEPTION s., DECEPTIVE adj., DECEIVE v.

► Será que **deception** é "decepção"? Pesquise e traduza com segurança esse substantivo, juntamente com o adjetivo **deceptive** e o verbo **deceive**:

1. Smith was a dishonest businessman who grew rich from fraud and **deception.**
2. Many naïve girls have been **deceived** by this guy.
3. Hundreds of residents were victims of a **deceptive** sales scheme.
4. The company is accused of **deceiving** customers with misinformation and non-existent offers. It is being sued for **deception.**

▷ Traduza para o inglês. Só uma destas frases pede **deception**:

5. Espero não passar por outra amarga **decepção.**
6. Não seja vítima de **embustes/golpes** e propaganda enganosa.

EXERCÍCIO C
FALSOS COGNATOS – ADJETIVOS (I)

► Faça a correspondência entre as colunas e assimile bem estes adjetivos importantes em inglês:

1. ___ actual	a) final, futuro
2. ___ current	b) índio, indígena
3. ___ eventual	c) real, verdadeiro
4. ___ occasional	d) engenhoso, criativo
5. ___ indigenous	e) eventual, que pode acontecer ou não
6. ___ indian	f) ingênuo, sem malícia
7. ___ ingenious	g) atual, contemporâneo, do momento
8. ___ naïve	h) originário do local, da região

EVENTUAL adj., **EVENTUALLY** adv.

Atenção para esses falsos cognatos, muito sujeitos a erros!

► Corrija a tradução:

1. The Van Gogh changed hands several times and **eventually** was bought by a wealthy businessman.
!!! O Van Gogh mudou de mãos várias vezes e ~~eventualmente~~ foi comprado por um rico empresário.

Melhor: ____

► Qual a tradução correta?

2. If we don't protect this species, it will **eventually** become extinct.
   Se não protegermos essa espécie, ela...
a) eventualmente, talvez acabe se extinguindo.
b) futuramente vai acabar se extinguindo, com certeza
d) possivelmente vai se extinguir.
e) provavelmente vai se extinguir.

► Traduza com propriedade:

3. Unfortunately, **eventually** we are all going to die.
4. I want to study at Stanford and **eventually** receive a Ph.D.
5. Blood donation must not be harmful to the **eventual** recipient.

▷ Traduza para o inglês corretamente, usando **eventual**, **eventually** ou **occasional**, **occasionally**:

6. Tempo nublado, com chuvas **eventuais**.
7. Não tenho parceiro fixo, apenas relacionamentos **eventuais**.
8. Acho que **no fim** ele vai mudar de idéia.
9. Não como fora com freqüência, só **eventualmente**.

10. Explique a diferença entre "eventualmente" (português) e **eventually** (inglês):

____

____

____

____

____

____

____

____

EXQUISITE adj., EXQUISITELY adv.

► Será que **exquisite** (pronuncie ex-**QÜI**-zit ou **ÉX**-qüi-zit) significa "esquisito"? Traduza:

1. I bought some **exquisite** Indian handicraft products.
2. We saw a very beautiful woman, **exquisitely** dressed.

▷ Traduza para o inglês. Qual frase pede **exquisite** e qual pede **odd** ou **weird**?

3. As crianças achavam aquela mulher muito **esquisita**.
4. Desfrute da nossa **refinada** cozinha oriental.

✎ **Note a etimologia**: **Ex-quisitus** em latim (particípio passado de **ex-quaerere**) significa "cuidadosamente escolhido, seleto". Daí o sentido inglês de "belo, refinado", como também no espanhol **esquisito** e no francês **exquis**. Em português, porém, adquiriu o sentido de "diferente, estranho, excêntrico", e também "feio, desagradável". O dicionário Houaiss registra 6 acepções diferentes para "esquisito", inclusive "raro, precioso, fino" e "delicioso, refinado, delicado" (como em inglês).

FABRIC s.

► Perceba, pelo contexto das frases abaixo, que **fabric** NÃO pode ser "fábrica". Traduza observando a diferença:

1. Many synthetics blend well with natural **fabrics**.
2. What will be the effect of the influx of hundreds of thousands of refugees on the social **fabric** of the country?

▷ Traduza as frases para o inglês usando **fabric** quando adequado:

3. Essas calças são feitas de **tecido** de algodão macio.
4. A guerra deixou uma marca visível no **tecido social** da região.
5. Houve um incêndio na **fábrica** da Ford.

✎ **Note a etimologia**: Em latim, **fabrica** significava "oficina", lugar onde trabalhava o **faber**, "artesão". Com a revolução industrial, ganhou o sentido de "material manufaturado", e com a proeminência da indústria têxtil, passou a significar "tecido".

3. These pants are made of soft cotton ______________.

FABRICATE v.

▸ **Fabricate** em geral NÃO é "fabricar". Pesquise e traduza as frases com segurança:

1. The study was flawed and many of its "scientific" conclusions were **fabricated.**
2. Smith's lawyer was accused of **fabricating** evidence to support his defense.

FACULTY s.

▸ Traduza corretamente conforme o contexto:

1. Some people claim to have the **faculty** of communicating with the dead.
2. The school will add **faculty** to the Math Department.

▹ Traduza para o inglês corretamente, usando **faculty**. Note que a palavra **faculty** não varia no plural, mesmo tendo sentido plural:

3. (**faculty**) Eu participo de um comitê de **professores**, funcionários e alunos.
4. (**faculty**) Nossa **faculdade** tem 300 **professores.**

EXERCÍCIO D
EDUCATION

▸ Veja no quadro palavras relativas à educação, semelhantes às suas cognatas em português mas com outros significados. Escolha as que completam corretamente cada frase; depois traduza.

alumnus, alumni – college – faculty

1. Our state needs ten thousand new ______________________ just to replace retiring professors.
2. I heard he's a ______________________ graduate from Harvard, Yale or another Ivy League school.
3. Those who once studied in this university never forget it. We are proud of the great loyalty and affection that our ______________________ demonstrate to their alma mater.
4. My boyfriend is a nice guy. The problem is, he's just a high school graduate and never went to ______________________ .

INDIGENOUS adj.

▸ Corrija a tradução:

1. Jazz music is an **indigenous** American art form.

!!! O jazz é uma forma de arte americana ~~indígena~~.

Melhor: ____

► Perceba que **indigenous** e "indígena" são diferentes, embora relacionadas. Pesquise e traduza com segurança:

2. The festival will give a sample of the country's **indigenous** talent.
3. This flower is not **indigenous** to the island; actually, it is found in many countries.

▷ Traduza para o inglês corretamente, usando as palavras entre parênteses:

4. (**indigenous**) Poucas firmas **nacionais** são conhecidas fora do país.
5. (**indigenous**) Oferecemos centenas de espécies de plantas, tanto **nativas** como importadas.
6. (**Native**) Algumas tribos **indígenas** abriram cassinos em suas reservas.

✎ **Nota**: A palavra "indígena" também significa "originário da própria região", como em "animais indígenas"; mas este sentido é raro em português.

5. We were charmed by Calder's ______________________ mobiles.

INGENIOUS adj., INGENUITY s.

► Corrija as traduções abaixo (1 e 2). Por que elas estão erradas?

1. Our present prosperity is due to the **ingenuity** of our people.

!!! Nossa atual prosperidade se deve à ~~ingenuidade~~ do nosso povo.

Melhor: ____

2. Our engineers have devised an **ingenious** way to save electricity.

!!! Nossos engenheiros inventaram uma maneira ~~ingênua~~ de economizar eletricidade.

Melhor: ____

► Traduza corretamente. Ofereça vários sinônimos para **ingenious**:

3. There are new and ingenious new ways to use corn. You can turn it into fuel or biodegradable plastics.

▷ Traduza estas frases para o inglês. Em quais delas se poderia usar **ingenious** ou **ingenuity**?

4. Não sou **ingênua** a ponto de acreditar em contos de fadas.
5. Ficamos encantados com os **engenhosos** móbiles de Alexander Calder.
6. A **criatividade** e a tecnologia nos oferecem a esperança de um mundo melhor.

✎ Diferencie **ingenious** de "ingênuo", notando esta **etimologia** interessante: **Ingenious** ("engenhoso") significa "inteligente", dotado de "gênio" (**in + genius**). Já **ingenuous** ("ingênuo") vem de **gens, gentis** – raça, clã. Originalmente significava "filho legítimo" (nascido dentro do clã, da família). Daí passou a "honesto – sincero – puro – ingênuo".

LEGEND s., LEGENDARY adj.

▶ Será que **legend** é sempre "legenda"? Será que "legendário" é uma boa tradução para **legendary**? Traduza corretamente:

1. Anthropologists study myths and **legends** of different cultures.
2. The map **legend** is quite clear.
3. The First Lady became **legendary** for her extravagant spending.
4. This is the final interview of rock **legend** Jim Morrison.

▷ Traduza para o inglês corretamente:

5. Don Juan é uma figura **lendária** de origem espanhola.
6. Diz a **lenda** que ele nunca mais sorriu.
7. Gosto de assistir a DVDs com **legendas** em inglês.

7. I like watching DVDs with English ______________________ .

PARENT s., v.

▶ Traduza as frases com atenção. Cada uma pede uma tradução diferente para **parent** ou **parents**.

1. I went on holiday with my **parents**.
2. Children under 13 must have a written permission from a **parent**.
3. Google (YouTube's **parent** company) is being sued over the illegal use of copyrighted videos.

▷ Traduza as frases para o inglês. Em qual delas você usaria **parents**?

4. Passei um mês com meus **parentes** em Miami.
5. Meus **pais** ainda são bem jovens.

5. My ______________________ are still very young.

PHYSICIAN s.

► Traduza corretamente:

1. I am a **physician** specialized in sports medicine.
2. Can anyone recommend a good family **physician**?

▷ Traduza as frases para o inglês corretamente. Qual delas pede **physicians** e qual pede **physicists?**

3. A maioria dos **físicos** e astrônomos aceita a teoria do Big Bang.
4. Muitos **médicos** recomendam exames clínicos anuais.

PREJUDICE s.

► Traduza corretamente:

1. Amazingly in today's 21st century, gay people still suffer **prejudice** and intolerance from an ignorant few.

▷ Traduza para o inglês corretamente, notando bem a diferença entre **prejudice** e "prejuízo". Só uma das frases abaixo pede **prejudice**:

2. A empresa sofreu um **prejuízo** de US$ 50.000.
3. Nosso país precisa se livrar do **preconceito** racial.

EXERCÍCIO E
FALSOS COGNATOS – VERBOS

► Faça a correspondência entre as colunas, para memorizar bem o significado destes verbos em inglês:

1. ___ pretend	a) resumir
2. ___ intend	b) fazer concessões
3. ___ procure	c) recomeçar
4. ___ look up, search	d) comprometer-se
5. ___ resume	e) procurar
6. ___ sum up, summarize	f) fingir
7. ___ compromise	g) comprar, obter
8. ___ commit	h) pretender, ter a intenção

PRETEND v.

► Qual o sentido de **pretend** nas frases abaixo? Marque-as com **a**, **b** ou **c**. Depois traduza as frases:

a) pretender, tencionar, ter a intenção
b) fingir, simular, fazer de conta
c) ter a pretensão, atrever-se a dizer

1. ___ I sat over a book and **pretended** to study.
2. ___ I won't lie. I can't **pretend** our hospital facilities are perfect.
3. ___ "Let's **pretend** we're on the moon," said Tommy to his little sister.

▷ Traduza estas frases para o inglês notando a diferença entre os cognatos **pretend** (inglês) e **pretender** (português). Em quais delas você poderia usar **pretend**?

4. Minha filha **pretende** ser médica.
5. Ele **fingia** que era médico, mas na verdade era apenas enfermeiro.
6. **Pretendo** ir aos Estados Unidos no ano que vem.

PROCURE v., PROCUREMENT s.

► Será que **procure** é "procurar"? Pesquise e traduza as frases com segurança:

1. It was very difficult to **procure** building materials during the war.
2. Our company's **Procurement** Department must buy enough gas to meet our needs.

▷ Traduza estas frases para o inglês com atenção. Em quais delas você poderia usar **procure**?

3. A polícia está **procurando** a criança por todo lugar.
4. Precisamos ajudar as escolas a **comprar/obter** equipamentos.
5. Dicas para o exame: **Procure** não ficar muito nervoso.
6. Ele conseguiu **arranjar/providenciar** um passaporte em tempo recorde.

✎ **Note a etimologia**: Em inglês, **procure** NÃO é "procurar", mas ambos os verbos provêm da mesma raiz latina: **pro-curare** = cuidar, tomar conta.

EXERCÍCIO F
FALSOS COGNATOS – ADJETIVOS (II)

1. ___ sensitive	a) estranho, esquisito, insólito
2. ___ sensible	b) compreensivo, indulgente
3. ___ exquisite	c) estrangeiro
4. ___ stranger	d) abrangente, completo
5. ___ strange, odd	e) fino, belo, esmerado
6. ___ foreigner	f) sensível, delicado
7. ___ comprehensive	g) sensato, prudente
8. ___ understanding	h) pessoa desconhecida

PUSH v., ≠ PULL v.

► Será que **push** é "puxar"? Ou será "empurrar"? Complete as frases com **push** ou **pull**, na forma correta. Depois traduza as frases:

1. Our motor failed and we had to ______________________ the car off the road and onto the shoulder.
2. She walked up to us, ______________________ her suitcase along.
3. In the market we saw some horses ______________________ heavy carts.
4. To start the machine, just ______________________ the START button.
5. We must ______________________ for environmentally friendly legislation.
6. The engine was ______________________ the train up the hill.

▷ Traduza para o inglês, usando **push** ou **pull** na forma correta:

7. O cavalo estava **puxando** uma carroça.
8. Não **empurre**!

1. We had to ______________________ the car off the road.

2. She was ______________________ her suitcase along.

RESUME v., RESUMPTION s.

► Corrija a tradução:

1. Please **resume** your story.
!!! Por favor, ~~resuma~~ sua história.

Melhor: ______________________________

► Traduza com propriedade:

2. You can click the PAUSE button and later **resume** playing with the **RESUME** command.
3. We propose an immediate **resumption** of negotiations.

▷ Traduza as frases para o inglês. Em qual delas você usaria **resume**?

4. A Rússia vai **reiniciar/retomar** seu programa espacial.
5. Vou tentar **resumir** meu argumento de forma mais concisa.
6. Depois de seis meses de tratamento, ele **recomeçou** a jogar golfe.

SENSIBLE adj.

► 1. We discussed all the pros and cons and I **realized** that emigration was the only **sensible** decision.

▷ Traduza as frases para o inglês, atentando para a diferença entre os cognatos. Qual delas pede **sensible** e qual pede **sensitive**?

2. Ela é uma criança delicada e muito **sensível**.
3. Precisamos de algumas idéias **sensatas** sobre educação.

STRANGER s.

► Será que **stranger** é "estrangeiro"? Pesquise e traduza com segurança:

1. I wasn't going to share my secrets with a **stranger** I'd just met on the bus.

▷ Traduza as frases para o inglês. Qual delas pede **strangers** e qual pede **foreigners** ?

2. Nossa indústria turística depende dos **estrangeiros**.
3. Não quero que meus filhos falem com **desconhecidos/gente estranha**.

TERRIFIC adj.

Terrific é muito comum no inglês informal. Você tem certeza do que significa?

► Complete com o adjetivo apropriado – **terrific** ou **terrible**, conforme o contexto:

1. He's a ______________________ dancer. I love dancing with him!
2. They died in a ______________________ accident.
3. Meryl Streep is ______________________ in *The Devil Wears Prada*.

▷ Traduza as frases para o inglês, usando **terrific** ou **terrible** conforme o contexto:

4. Não agüento aquele cara. Ele tem uma personalidade **terrível**.
5. Uma coisa de que eu realmente gostei naquele hotel – a comida era **ótima**.

1. He's a ____________________ dancer!

UTILITY, UTILITIES s.

▸ No singular, **utility** raramente é usado no sentido de "utilidade". (Usa-se mais **usefulness**.) No plural, **utilities** NÃO é "utilidades". Pesquise e traduza corretamente essa palavra tão útil:

1. There has been a dramatic increase in my **utility** bills.
2. Our family often faced critical hardships, such as having our **utilities** disconnected.

▸ Dê o significado correto de **utility** em cada frase – a, b ou c. Depois traduza as frases:

a) utilidade
b) consumo – água, eletricidade e gás
c) eletricidade
d) distribuidora, concessionária de serviço público

3. ___ Here are 10 things you can do to save money on your **utility** bills.
4. ___ I don't see much **utility** in this extra accessory. I can do without it perfectly well.
5. ___ We build **utility** towers and water tanks.
6. ___ Electric **utilities** have raised their prices sharply.

▷ Traduza corretamente para o inglês:

7. Não posso pagar contas altas de **consumo**, como água, luz e gás.

7. I can't afford these high ____________________ bills!

EXERCÍCIO G
CROSSWORDS – PALAVRAS CRUZADAS

► Complete as traduções das frases abaixo para o inglês, escolhendo entre as palavras do quadro. Use-as para fazer as palavras cruzadas, seguindo a mesma numeração.

actually – collar – eventually – fabric – intend – legendary – necklace occasionally – pretend – resume – sensible – sensitive – summarize – utility

1. Preciso comprar **tecido** para cortinas. ▷ I have to buy some curtain __________ .
2. Só vou lá **eventualmente**. ▷ I only go there __________ .
3. **Pretendo** ir a Nova York no mês que vem. ▷ I __________ to go to New York next month.
4. Desculpe a interrupção – por favor **continuem** o jogo. ▷ Sorry for the interruption, please __________ the game.
5. **No fim** ele vai acabar cedendo. ▷ __________ he's going to yield.
6 Aja como uma pessoa **sensata**. ▷ Act like a __________ person.
7. Comprei um **colar** de pérolas. ▷ I bought a pearl __________ .
8. Minhas contas de **água**, **luz** e **gás** são muito altas. ▷ My __________ bills are very high.

1. _ **A** _ _ _ _
2. _ _ **C** _ _ _ _ _ _ _ _ _
3. _ _ **T** _ _ _
4. _ _ _ **U** _ _
5. _ _ _ _ _ _ **A** _ _ _
6. _ _ _ _ _ _ **L** _
7. _ _ _ _ **L** _ _ _
8. _ _ _ _ _ _ **Y**

MISCELÂNEA DE TRADUÇÃO E VERSÃO

Traduza as frases com segurança, observando bem o sentido dos falsos cognatos. Lembre-se de que todas as palavras em **negrito** podem ser pesquisadas neste livro.

Depois das traduções vêm as versões para o inglês. Redija frases completas, utilizando as palavras dos quadros. Assim você reforçará ainda mais os seus conhecimentos.

actual – actually – agenda – alumnus

▶ 1. The official jobless **figures** are **deceptive**; the **actual** number is much higher.
▶ 2. So, what is **actually** going on in the stock market? I know not everything one hears is true.
▶ 3. They claim to be our friends, but their real **agenda** is to take over our country.
▶ 4. Solving the transportation problem should be **high on the agenda** for legislators.

▷ 5. O senador é **ex-aluno** de Princeton.
▷ 6. Seu livro revela sua decepção com a América **atual**.
▷ 7. Por favor, não interrompam o orador. Temos uma **pauta** aqui, precisamos tratar de um assunto de cada vez.
▷ 8. **Na verdade**, nunca estive fora do país.

collar – college – comprehensive – compromise

▶ 1. Welcome to our show. Loosen your **collar** and enjoy yourself!
▶ 2. I worked my way through **college**.
▶ 3. We want a **comprehensive** peace in the region.
▶ 4. Society must reach a **compromise** between leftist and rightist policies.

▷ 5. Foi um crime de **colarinho** branco.
▷ 6. O Primeiro Ministro foi obrigado a fazer muitas **concessões** aos seus adversários políticos.
▷ 7. O índice deveria ser mais **completo/abrangente**.
▷ 8. Terminei o secundário e vou começar a **faculdade** no ano que vem.

5. It was a white- ______________________ crime.

deceive – deception – deceptive – eventual – eventually

► 1. "Man is never **deceived**; he **deceives** himself." (Goethe)
► 2. As for global warming, the ruling party is pursuing a strategy of denial and **deception**.
► 3. Financial analysts claimed they had no way of knowing that the company was issuing **deceptive** financial statements.
► 4. It was hard for her to cope with her father's terminal illness and **eventual** death.
► 5. With the development of handheld computers, engineers will **eventually** be able to do all their calculations at the construction site.
► 6. For three years she dated a married man, always thinking he would leave his wife **eventually**, **eventually**, **eventually**.

▷ 7. Os consumidores precisam aprender como evitar as fraudes e **golpes** da internet.
▷ 8. Esperamos que **no fim** as coisas melhorem.
▷ 9. Na sua visão otimista, a humanidade **futuramente** encontrará meios de eliminar o sofrimento.

exquisite – exquisitely – fabric – fabricate

► 1. The hotel had **exquisitely** embroidered bed clothes and towels.
► 2. When Abraham Lincoln became president in 1861, the **fabric** of American society was torn apart by the Civil War.
► 3. The discovery was first lauded as a scientific breakthrough, but it later emerged that the lead author had **fabricated** his work.

▷ 4. Por que eles fazem uns vestidos tão curtos? Será para economizar **tecido**?
▷ 5. Este **finíssimo** vaso de vidro Tiffany data do início do século XX.
▷ 6. Há indícios de que o pesquisador **falsificou** suas descobertas.

5. This ________________________ Tiffany glass vase dates from the early 1900s.

faculty – indigenous – ingenious – ingenuity

- ► 1. Our universities must fill thousands of new **faculty** positions.
- ► 2. The minister argued that immigration could harm **indigenous** unskilled workers.
- ► 3. He was an **ingenious** inventor of quizzes and mathematical problems

- ▷ 4. Nosso site está repleto de notícias e idéias para alunos e **professores**/o **corpo docente**.
- ▷ 5. Podemos oferecer alguns produtos excelentes, graças ao **engenho**/**criatividade** do nosso pessoal de Pesquisa & Desenvolvimento.

legend – legendary – parent – physician

- ► 1. This tale is just a **legend** with no historical truth to it.
- ► 2. Many explorers wanted to find the **legendary** Fountain of Youth.
- ► 3. Ask your **physician's** advice before taking any medicine.

- ▷ 4. Estávamos ansiosos para conhecer o **lendário** inventor.
- ▷ 5. Meus **pais** ainda se amam.
- ▷ 6. Tenho muitos **parentes** espalhados pelo mundo.

prejudice – pretend – procure – procurement

- ► 1. We must free ourselves from many unfounded **prejudices**.
- ► 2. In this soap opera William, a millionaire, **pretends** he's poor, and Sandra, a simple maid, **pretends** she's a rich heiress.
- ► 3. "I never **pretended** to have magic solutions to solve a conflict of a hundred years in three weeks or three months," said the President.
- ► 4. Sorry, sir, but you must **procure** a Certificate of Residence before you apply for a passport.

- ▷ 5. "Para ser um grande campeão, você precisa acreditar que é o melhor. Se você não é, **finja** que é." (Muhammad Ali)
- ▷ 6. Não **tenho a pretensão** de me lembrar de todos os detalhes; isso aconteceu há muito tempo.
- ▷ 7. Trabalho no Departamento de **Compras**.

push – pull

- ► 1. In the game of tug of war, two teams **pull** on a rope in opposite directions.
- ► 2. I **pulled** the handle, I kicked and **pushed** the door hard with my shoulder, but it wouldn't open.
- ► 3. We must **push** for legislation to force car companies to look for fuel alternatives.

▷ 4. Não **puxe** o freio de mão!

▷ 5. No parque vimos uma jovem mãe **empurrando** seu carrinho de bebê.

5. In the park we saw a young mother ______________________ her baby carriage.

resume – sensible – stranger

▸ 1. Peace talks will be **resumed** any time soon.

▸ 2. No **sensible** woman would marry that guy.

▸ 3. I was very busy working and had to leave my baby with **strangers** to take care of.

▷ 4. Aperte o botão PAUSE outra vez para **recomeçar** a jogar.

▷ 5. Ele está ansioso para **reiniciar/retomar** o trabalho depois dessa longa interrupção.

▷ 6. Tente resolver suas disputas de uma maneira **sensata**.

▷ 7. Nunca dou meu endereço para **estranhos/desconhecidos**.

terrific – utilities

▸ 1. Would you like to join a **terrific** company that always has an eye on the future?

▸ 2. Here are some simple ways to save money on **utilities**.

▷ 3. Este produto proporciona uma melhora **sensacional/extraordinária** no desempenho.

▷ 4. Aluguel mensal: US$ 1.200 (**água**, **luz e gás** não incluídos).

TREINO DE MEMÓRIA

▸ Escreva aqui, de memória, os principais falsos cognatos que você praticou.

SAY IT IN ENGLISH!

▸ Empregue alguns desses "falsos amigos" que você aprendeu aqui em frases em inglês, mesmo bem simples. Procure usá-los em *collocations* comuns, como "actual size", "utility bills".

PARTE II – POLISSEMIAS E OUTRAS PALAVRAS CAPCIOSAS

32 PALAVRAS IMPORTANTES A FIXAR

1. address s., v.
2. alien adj.
3. champion s., v.
4. china s.
5. condition s.
6. costume s.
7. custom s.
8. customs s. pl.
9. data s. pl.
10. deputy s.
11. dramatic adj.
12. dramatically adv.
13. facility s.
14. figure s.
15. graphic adj.
16. graphically adv.
17. human s.
18. humane adj.
19. humanely adv.
20. interest s.
21. material adj.
22. material s.
23. plant s.
24. rare adj.
25. realization s.
26. realize v.
27. relation s.
28. relative s.
29. substitute v.
30. substitution s.
31. virtual adj.
32. virtually adv.

EXERCÍCIO PRELIMINAR

► Corrija estas traduções:

1. The bride wore a white gown with an embroidered **train**.
!!! A noiva usava um vestido branco com um ~~trem~~ bordado.
Melhor: ______________________________

2. I'd like a steak. Rare, very **rare**!
!!! Gostaria de comer um bife. ~~Raro~~, muito ~~raro~~!
Melhor: ______________________________

3. It's 4 o'clock and Dr. Smith is back in the **theater** for a second surgery.
!!! São 4 horas e o Dr. Smith está de volta no ~~teatro~~ para uma segunda cirurgia.
Melhor: ______________________________

4. I saw the **barrel** of a machine-gun among the foliage.
!!! Vi o ~~barril~~ de uma metralhadora em meio à folhagem.
Melhor: ______________________________

O que há de errado nessas traduções?
As palavras inglesas em negrito, que causaram essas traduções equivocadas, não são propriamente "falsos cognatos", mas também induzem a erros, pois têm vários significados. Um deles é igual ao da

palavra cognata em português: conforme o contexto, **train**, **rare**, **theater**, **barrel** realmente significam "trem", "raro", "teatro", "barril". Mas elas também têm outras acepções, ausentes em português, como se vê pelo contexto nas frases acima.

São casos típicos de **polissemia**, ou multiplicidade de sentidos (**poli** = muitos, **semia** = sentido, significado).

BREVE EXPLICAÇÃO

Esse fato é resultado das diversas origens da língua inglesa e de uma vida longa e rica, onde a palavra foi empregada por legiões de falantes ao longo dos séculos, adquirindo novos sentidos por analogia, influência de outras línguas e outros fatores. Por exemplo, *theater* começou como "teatro" ou "anfiteatro", vindo do grego *theatron*; mas passou a significar também "cinema" (*movie theater*). Por analogia, também pode ser "sala de operações" (onde se pode *assistir* às cirurgias).

Cuidado com essas armadilhas sutis!

Lembre-se, a **maioria** das palavras em inglês tem diversas acepções! Por exemplo, *golf club* pode ser "clube" de golfe ou também "taco" de golfe. *Jig* pode ser uma dança, uma música, uma piada, uma isca, uma máquina... Muitas palavras como *get, set, do, point* têm dezenas de traduções possíveis.

A polissemia é a regra

Lembre-se, a **polissemia** é a regra, não a exceção. O cérebro humano funciona muito por associação e analogia. Assim, é preciso partir do princípio de que cada palavra tem diversos significados, inclusive alguns totalmente diferentes dos que estamos acostumados a ver.

Mesmo uma palavra tão simples como **book** nem sempre é "livro".

► Qual a tradução exata para **book** na frase abaixo? (Confira com as Respostas no final do livro.)

5. *The Phantom of the Opera* – Music by Tim Rice, **book** by Andrew Lloyd Webber.

book = ____

Conforme o contexto, **book** também pode significar livro de contabilidade, um conjunto de normas, a Bíblia, o Corão, um livreto de selos e várias outras coisas.

A conhecida palavra **house** pode significar, segundo o contexto, empresa, editora, teatro, o público do teatro, assembléia legislativa, linhagem familiar... e até mesmo cassino e bordel.

✎ Note que também em português a polissemia é a regra, como em "manga", fruta (vinda do malaio **manga**) e "manga" de camisa (vinda do latim **manica**, diminutivo de **manus**, "mão"). Aliás, o dicionário Aurélio registra 15 significados para "manga". "Manga" pode ser curral, pastagem, filtro, eixo de veículo, tromba d'água... A palavra "jacaré" tem 15 significados diferentes no Aurélio e 26 no Houaiss. "Jacaré" pode ser uma árvore, um grupo indígena, vários tipos de aparelhos... Essa é a regra nas línguas naturais.

Qual a graça do trocadilho?

A polissemia é grande fonte de piadas, jogos de palavras, manchetes engraçadas.

6. Aprecie esta brincadeira com o duplo sentido da palavra **sign**. (Resposta no final do livro.)

"SIGN here"
A good-humored applicant for a job filled a form with many hilarious answers. This is how the form ended:
Sign here: ....*Aquarius*....

Substantivo, adjetivo ou verbo?

A piada "Sign here", acima, também nos faz lembrar que quase qualquer palavra em inglês pode ser substantivo, adjetivo ou verbo, o que também causa equívocos. Assim, ao traduzir do inglês, fique alerta – por exemplo, não assuma automaticamente que *address* é sempre "endereço" ou *champion* é sempre "campeão". Conforme o contexto podem ser verbos.

Como saber o significado exato de cada palavra? Analise o **contexto**, use o **bom senso** e **pesquise** sempre as palavras que lhe causam suspeita, mesmo as bem conhecidas.

Vamos treinar!

Nesta seção você poderá exercitar 32 palavras em inglês muito sujeitas a erros de compreensão e tradução. Não são exatamente "falsos cognatos", mas sim palavras que:

a) têm vários significados – um sentido igual ao da palavra cognata em português, e também outro sentido ausente em português. Por exemplo, **figure** não quer dizer só "figura".

b) por outros motivos, se confundem com palavras parecidas em português. Por exemplo, **data** não é "data", mas sim "dados".

c) são difíceis de distinguir, como **human** e **humane**, ou **costume**, **custom** e **customs**.

d) têm uma construção peculiar em inglês que induz a erros de tradução, como **substitute**, **substitution**.

Faça as traduções e versões com muita atenção ao contexto, e ganhe segurança no inglês fixando essas palavras importantes.

EXERCÍCIOS DE TRADUÇÃO E VERSÃO

Faça as traduções atentando para o sentido especial que estas palavras têm em inglês, ausente em suas cognatas em português. Bom senso a postos – muita atenção ao contexto!

Reforce seu domínio destas palavras importantes empregando-as em frases completas nas versões para o inglês.

ADDRESS s., v.

► Corrija esta tradução:

1. The Principal **addressed** warm words of welcome to the new students.

!!! O Diretor ~~endereçou~~ calorosas palavras de boas-vindas aos novos alunos.

Melhor: ______________________________

► Traduza dando o sentido exato de **address** conforme o contexto. Substantivo ou verbo?

2. Please enter your complete **address** including zip code.
3. Each problem must be **addressed** from all angles.
4. In his weekly radio **address** to the nation, the President said health care insurance should be more affordable.

▷ Traduza as frases para o inglês corretamente usando **address**:

5. (**addresses**) Tenho vários **endereços** de e-mail.
6. (**address**) No sábado o presidente vai **discursar/fazer um pronunciamento** à nação.

ALIEN s., adj.

► Analise as frases abaixo. Qual a tradução correta de **alien** em cada uma? Depois traduza as frases:

a) alienígena, extraterrestre
b) diferente, estranho, desconhecido
c) estrangeiro, imigrante, vindo de fora
d) inimigo

1. ___ The U.S. has millions of undocumented **aliens**.
2. ___ Some people claim to have seen **aliens** and flying saucers.
3. ___ Many young students arrive at our campus and find a very **alien** environment.
4. ___ Most countries distinguish between temporary **aliens** and those who wish to reside permanently.
5. ___ **Alien** species are destroying our native flora and fauna.

CHAMPION s., v.

► **Champion** nem sempre é "campeão"! Atenção ao contexto:

1. How many hours a day do you have to practice to be a **champion** skater?
2. As First Lady she has **championed** children and the arts.

▷ Traduza as frases para o inglês usando **champion** como substantivo ou verbo:

3. (**champion**) Betinho foi um **defensor** dos pobres e famintos.
4. (**champion**) O primeiro-ministro **defende/é a favor** da competição e das políticas de mercado livre.

CHINA s.

► O bom senso indica que a tradução abaixo não está certa. Note também a inicial minúscula em **china** e a preposição **on**, que não se aplicaria ao país China. Corrija:

1. To give a good dinner you don't have to spend a fortune on **china**.

!!! Para dar um bom jantar não é preciso gastar uma fortuna ~~na China~~.

Melhor: ____________________

► Traduza com propriedade:

2. We sell full sets of high quality **china**.

▷ 3. (**china**) Pus a mesa com minha melhor **louça**.

3. I set the table with my best ____________________ .

CONDITION s.

► Perceba pelo contexto que **condition** nem sempre é "condição". Traduza corretamente:

1. She knew she had a heart **condition** and was putting herself at risk.

▷ 2. (**condition**) Já tratamos de cerca de 8 mil pacientes com 40 diferentes **doenças**.

COSTUME s.

1. O que é "**costume** ball"?

a) baile tradicional, costumeiro
b) baile à fantasia
c) baile de gala, a rigor
d) baile em traje esporte ou social

▷ Traduza estas frases para o inglês corretamente. Só duas pedem **costume**:

2. Não tenho o **costume** de ver novelas.
3. Gostei muito da peça, especialmente dos cenários e **figurinos**.
4. Ganhei o prêmio de melhor **fantasia** de Halloween.

CUSTOM s.

► Compare **custom**, **customs** e **costume**. Traduza corretamente:

1. Ali Hussein was buried according to Islamic **custom/customs**.

▷ 2. (**custom**) Os estrangeiros têm que respeitar nossos **hábitos e costumes**.

CUSTOMS s. pl.

► 1. US **Customs** has seized tons of narcotics at airports and seaports.

▷ 2. (**customs**) Os passageiros internacionais que chegam têm que **passar pela alfândega**.

DATA s. pl.

► Não confunda com **date** ("data"). Traduza corretamente:

1. Our **data** clearly show a correlation between smoking and cancer.
2. I'm a specialist in **data** processing and **database** management.
3. In our system every transaction, every **bit of data** is processed instantly.

▷ 4. (**data**) O cientista foi acusado de falsificar seus **dados**.

Note a etimologia: Essa palavra inglesa é latim puro: singular, **datum** (dado); plural, **data** (dados).

DEPUTY s.

► Será que nas frases abaixo cabe a tradução "deputado"?

1. When the minister is absent, his **deputy** shall take over.
2. The CEO has turned over his day-to-day responsibilities to trusted **deputies**.

▷ Use **deputy** com segurança:

3. (**deputy**) Na próxima sexta-feira o presidente, ou seu **representante**, assinará o acordo.

EXERCÍCIO A
SUBSTANTIVOS – SINÔNIMOS (I)

▸ Associe cada substantivo da coluna da esquerda com seu sinônimo ou equivalente na coluna da direita:

1. ___ alien	a) assistant
2. ___ champion	b) habit
3. ___ condition	c) outfit
4. ___ china	d) foreigner
5. ___ deputy	e) defender
6. ___ custom	f) illness
7. ___ costume	g) cups and plates

DRAMATIC adj.

1. Analise as frases abaixo. "Dramático" seria uma boa tradução em todas elas? Por quê?

____

____

____

▸ Traduza com atenção ao contexto, oferecendo opções apropriadas em português:

2. There has been a **dramatic** rise in unemployment and alcoholism.
3. There has been a **dramatic** rise in literacy rates and school attendance.
4. There have been **dramatic** improvements in the country's economy.
5. The film shows some **dramatic** events of World War II.

▷ Reforce sua compreensão da palavra **dramatic** empregando-a em inglês:

6. (**dramatic**) O incentivo e o elogio podem ter efeitos **espetaculares** no aprendizado.

DRAMATICALLY adv.

▸ Traduza dando opções corretas para **dramatically**:

1. India's software industry is projected to grow **dramatically** in the next few years.
2. Science is looking for ways to **dramatically** slow the aging process.
3. Living standards vary **dramatically** between countries and regions.

4. Em alguma das três frases acima cabe a tradução "dramaticamente"? Por quê?

___

___

___

▷ Ganhe segurança empregando **dramatically** como fazem os *native speakers*. Pense também na posição correta desse advérbio na frase:

5. (**dramatically**) Novos métodos de ensino melhoraram **espetacularmente** nossos resultados escolares.

FACILITY, FACILITIES s.

► Analise as frases abaixo e veja que em cada uma **facility** ou **facilities** pode ser traduzido por uma palavra específica em português. Traduza corretamente:

1. Many Japanese companies have production **facilities** located in Korea.
2. Country doctors must make do with insecure and decrepit **facilities**.
3. Your packet has arrived at the FedEx Rio de Janeiro **facility**.
4. The young suspect is being held at a **facility** for juveniles.

▷ 5. (**facility**) A fábrica tem um grande **centro/local/depósito** de armazenamento.

FIGURE s.

► Note que cada frase pede uma tradução diferente para **figure**:

1. Ford has released its first quarter **figures**.
2. I need to go on a diet to keep my **figure**.
3. The publishers have paid **six figures** for the manuscript.
4. Here's a handy travel guide to help you get the **facts and figures** right before your next trip.

▷ 5. (**figures**) Desculpe, mas seus **cálculos** estão errados. Aqui você teria que acrescentar 5%.

GRAPHIC adj., GRAPHICALLY adv.

► Traduza com atenção ao significado especial dessas palavras. Note que os cognatos "gráfico", "graficamente" nem sempre cabem no contexto:

1. Learn to solve problems creatively using visual and **graphic** means.
2. Please note: this is an adult story, with **graphic** sex, **graphic** violence.
3. His violent acts are vividly, sometimes **graphically**, described in the book.

▷ 4. (**graphic**) O site tem fotos **chocantes/realistas** das vítimas.

HUMAN s.

► Não traduza **humans** como "os humanos". É um decalque do inglês que carece de naturalidade. Prefira "as pessoas", "o ser humano", " o homem".

1. Certain illnesses can be transmitted from animals to **humans**.
2. What are the main differences between **humans** and other mammals?
3. Is it possible that someday computers will decide that we **humans** are no longer necessary?

▷ 4. (**humans**) Este produto não faz mal algum às **pessoas**/ao **homem**.

HUMANE adj., HUMANELY adv.

► Complete com a palavra certa no contexto: **human**, **humane** ou **humanely**? Depois traduza as frases:

1. Our animals receive ________________ treatment, with adequate food, water and shelter.
2. Health officials fear the virus may spread from pigs and cows to ________________.
3. Chimpanzees are similar to ________________ beings in many ways.
4. The prisoners are being treated ________________.

▷ 5. (**humane**) Nosso grupo luta por um sistema mais **humano**/**humanitário** para os doentes mentais.

INTEREST s.

► Qual o sentido de **interest** em cada frase? Traduza com propriedade:

1. My son is developing a keen **interest** in astronomy.
2. Investors want to be sure they will get their capital back plus **interest**.

▷ 3. (**interest**) Qual é a atual taxa de **juros** para empréstimos bancários?

MATERIAL s.

► Traduza dando o sentido exato de **material** conforme o contexto:

a) material
b) materiais
c) tecido, pano

1. ____ These ornaments are made from different **materials** like copper, gold, silver, etc.
2. ____ His coat was in a thin **material**, inadequate for winter
3. ____ Silk is an extraordinarily strong **material**, stronger than steel.

▷ 4. (**material**) A flanela é um **tecido** quente, confortável.

MATERIAL adj.

► Além de "material", como em **material goods** ("bens materiais"), esse adjetivo tem outro significado, ausente em português. Pesquise e traduza com segurança:

1. The balance sheet must disclose all information **material** to the financial health of the company.
2. The judge declared that the evidence was "not **material**" to the case.
3. He's a **material** witness in the trial.

▷ 4. (**material**) Desculpe, mas estes documentos não são **relevantes** para o assunto em questão.

PLANT s.

► Traduza corretamente observando os diferentes sentidos de **plant**:

1. There are many poisonous **plant** species.
2. Several big **plants** are closing as a result of the economic crisis.
3. The Chernobyl nuclear power **plant** suffered a catastrophic accident in 1986.

▷ 4. (**plant**) A **Usina** Hidrelétrica de Itaipu fornece 25% da energia consumida no Brasil.

RARE adj.

► **Rare** nem sempre é "raro"! Traduza notando os dois sentidos bem diferentes:

1. It was an extremely **rare** coincidence.
2. When eating out, avoid uncooked or **rare** meat.

▷ Traduza as frases para o inglês usando **rare** na forma correta:

3. Quais são os animais mais **raros** da terra?
4. Sirva **mal passado** ou ao ponto.

REALIZE v., REALIZATION s.

► Observe pelo contexto de cada frase se **realize** significa "realizar, concretizar" ou "perceber, compreender". Traduza com naturalidade:

1. This is the kind of school where teenagers can **realize** their potential fully.
2. I didn't **realize** the consequences of using three credit cards until it was too late.
3. Coming to this **realization** has made me change my habits. Now I only buy what I really need.

▷ 4. (**realize**) Muitos universitários ainda não **percebem** os perigos do abuso do álcool.

RELATION s., RELATIVE s.

► Note que em português os cognatos "relação" e "relativo" não têm este sentido especial:

1. I've discovered he's a distant **relative** of mine.

▷ Traduza as frases para o inglês com naturalidade. **Parents**, **relations** ou **relatives**?

2. Passei um mês com meus **parentes** na Itália.
3. Eis algumas fotos dos meus amigos e **parentes**.

✎ Veja também PARENT.

SUBSTITUTE v., SUBSTITUTION s.

Cuidado! A construção da frase em inglês pode ser **oposta** à que usamos em português com "substituir". Em inglês, o primeiro elemento entra para substituir o segundo.

► Traduza com muita atenção ao contexto!

1. "With all its failures ... the UN still represents man's best-organized hope to **substitute** the conference table for the battlefield." (President Eisenhower)

► O verbo **substitute** é muito usado quando se fala em alimentação e receitas. Traduza com atenção ao sentido – o que entra e o que sai?

2. Vegetarians can **substitute** cheese for meat.
3. Tips for a healthier diet: **Substitute** water or diet soda for regular soda.
4. Your body needs fibre every day. **Substitute** fibre-rich whole grain bread for white bread.

► **Substitute** também é muito usado em conexão com fontes de energia. Traduza com muita atenção ao contexto:

5. Wind and solar power can partly **substitute** for imported fossil fuels.
6. Brazilian programs to **substitute** alcohol (ethanol) for gasoline are drawing worldwide attention.

▷ 7. Para um lanche saudável, **substitua** as batatas fritas por uma maçã.

7. As a healthy snack, substitute ____________ for ____________.

VIRTUAL adj.

► "Virtual" e "virtualmente" em português se referem ao mundo da simulação, dos computadores, da internet, em oposição ao mundo real. Já em inglês **virtual** e **virtually** também têm outro sentido bem diferente! Pesquise e traduza as frases com correção e naturalidade.

1. In the film, a beautiful girl enters his life – but she is not an **actual** woman, only a **virtual** being, born of an advanced computer program.
2. Susan was a **virtual** unknown when she was chosen for the part of Juliet.
3. If we do nothing, we may witness the **virtual** extinction of elephants over the next 20 years.

▷ 4. Gosto de jogar jogos de realidade **virtual**.

VIRTUALLY adv.

► Corrija a tradução:

1. Edgar Allan Poe **virtually** created the detective story.

!!! E. A. Poe criou ~~virtualmente~~ a história de detetive.

► Traduza corretamente. Ofereça alternativas naturais em português:

2. You can attend classes in person or learn **virtually**.
3. The new minister has **virtually** no administrative experience.

▷ 4. (**virtually**) O comunismo **praticamente** desapareceu da Europa Ocidental.

EXERCÍCIO B
SUBSTANTIVOS – SINÔNIMOS (II)

► Associe cada substantivo da coluna da esquerda com seu sinônimo ou equivalente na coluna da direita:

1. ___ figure	a) person
2. ___ figures	b) family member
3. ___ material	c) factory
4. ___ realization	d) installations
5. ___ facilities	e) statistics
6. ___ relative	f) insight
7. ___ human	g) fabric
8. ___ plant	h) number

MISCELÂNEA DE TRADUÇÃO E VERSÃO

Estude os termos que estão em negrito nas frases. Eles podem não significar o mesmo que os seus cognatos em português! Pesquise e traduza as frases com segurança e atenção ao contexto.

address – alien

► 1. We must **address** the issue of global warming right now; tomorrow it will be too late.
► 2. The CEO **addressed** the shareholders on issues of relevance to the Company
► 3. You should not **address** a married woman as "Miss".
► 4. There are dozens of species of **alien** plants endangering our **indigenous** flora.

▷ 5. (**aliens**) **Estrangeiros** sem documentos/papéis válidos se arriscam a serem deportados.

champion – china – condition – rare

► 1. Bangladeshi microcredit pioneer Muhamad Yunus is a **champion** of the poor.
► 2. You can get food poisoning and other serious **conditions** from eating **rare** or undercooked meat.

▷ 3. (**china**) Importamos um magnífico jogo de porcelana francesa.
▷ 4. (**conditions**) Muitas pessoas idosas estão vivendo com várias **doenças** crônicas.

EXERCÍCIO C
ADJETIVOS – SINÔNIMOS OU ANTÔNIMOS?

► Analise cada par de adjetivos. Marque com (S) os sinônimos e (A) os antônimos:

1. ____ dramatic – impressive
2. ____ material – irrelevant
3. ____ alien – native
4. ____ rare – undercooked
5. ____ graphic – explicit
6. ____ humane – compassionate
7. ____ virtual – actual

costume – custom – customs

► Complete e traduzas as frases corretamente com as palavras do quadro, que podem enganar pela semelhança.

1. Where can I rent a Carnival ______________________.
2. ______________________ officers have confiscated millions of Ecstasy pills.
3. I design ______________________ and accessories for theater and film.

▷ 4. Algumas tribos indígenas ainda vivem de acordo com seus **costumes** tradicionais.
▷ 5. Espere um momento, ainda tenho que passar pela **alfândega**.

dramatic – dramatically

► Traduza as frases com correção e naturalidade. Será que cabem os cognatos "dramático", "dramaticamente"?

1. This was the most **dramatic** lunar eclipse of the year.
2. We have managed to make some **dramatic** improvements in our plans.
3. Many people claim that online voting would not only **dramatically** reduce the count time but also ensure a more reliable result.

▷ 4. (**dramatic**) Nos anos 1990 a ciência computacional fez progressos **espetaculares**.
▷ 5. (**dramatically**) O crime em Nova York caiu **drasticamente/acentuadamente** na última década.

data – deputy – facililty, facilities – figure

► Corrija as traduções:

1. The problem is that our system is still using the old **data**.
!!! O problema é que nosso sistema ainda está usando ~~a data~~ antiga.

Melhor: ______________________

2. Farmers must have adequate storage **facilities** for storing their grain.
!!! Os fazendeiros devem ter ~~facilidades~~ de armazenagem adequadas para estocar seus cereais.

Melhor: ______________________

3. Several countries will send their foreign ministers or their **deputies** to attend the Beijing summit.
!!! Vários países enviarão seus ministros do exterior ou seus ~~deputados~~ para a cúpula de Pequim.

Melhor: ______________________

► Traduza corretamente, com atenção às palavras em negrito;

4. **Deputies** from both countries sat down to the trade talks, **pushing** conflicting **agendas** on taxes and subsidies
5. The NASA **facility** in Hampton, Virginia, conducts research in space technology.
6. The public needs truthful **facts and figures** about nuclear issues.

▷ 7. Precisamos de **dados** atualizados e confiáveis.

graphic – graphically

► Você diria que um filme com cenas violentas é um filme "gráfico"?

1. City of God – This **graphic** film takes a bruising look at the mean streets of Rio de Janeiro's slums.
   His violent acts are vividly, sometimes **graphically**, described in the book.

human – humane

► **Human**, **humans** ou **humane**? Complete e depois traduza as frases:

1. China and other countries intend to send ______________________ to the Moon and **eventually** to Mars.
2. Our organization works for the ______________________ treatment of animals.
3. The bank claims to provide good service, but when things go wrong it's hard to get a live __________ on the phone.

3. It's hard to get a live ______________________ on the phone.

interest – material – plant

► Será que **interest** é sempre "interesse", **material** é sempre "material", **plant** é sempre "planta"?

1. I borrowed some money from the bank and had to pay very high **interest**.
2. Fierce foreign competition is forcing the automaker to close down its **plants**.
3. These poor people lost all their **material** goods in the flood.
4. All **material** information must be included.

▷ 5. (**material**) Todas as nossas camisas são feitas de tecido 100% algodão.

realize – realization – relation – relative

► Qual o significado dessas palavras em diferentes contextos? Traduza com propriedade:

1. It is difficult to **realize** from observation alone that we are not at the center of the solar system.
2. **Realization** finally hit – he was not as talented as his brother, not by a long stretch.
3. Apartments in London are hugely expensive **in relation** to other living costs.
4. My **parents** and I spent our summer holidays with our **relations/relatives** in Sydney.
5. Why do we see phases of the moon? Because of the **relative** positions of the sun, Earth and moon.

▷ 6. Todos os meus **parentes** vieram da Itália.

6. All my ____________________________ came from Italy.

substitute – substitution

► Você já sabe que **substitute** em inglês pode ter uma construção *oposta* à que usamos com "substituir" em português. Traduza com a máxima atenção, lembrando que o contexto de cada frase deixa claro qual elemento deve sair e qual elemento deve entrar para substituí-lo:

1. Olive oil is healthier than butter. You can **substitute** olive oil for butter in almost any recipe.
2. Diet soda lovers tend to **substitute** these drinks for milk, so they're at higher risk of calcium deficiency.
3. I'm making a dish that calls for Portuguese *chouriço* and I cannot find it anywhere. Is there something else I can **substitute** for it?
4. Sharp declines in equipment prices provide incentives to **substitute** technology for labor.
5. The internet could kill catalogs and newspapers. This is just the tip of the iceberg in the **substitution** of computers for paper.

▷ 6. No momento não é econômico para a maioria dos americanos **substituir** a gasolina pelo etanol.

virtual – virtually

► Lembre-se de que nem sempre estas palavras se traduzem por "virtual", "virtualmente":

1. Using computer models, scientists can test out new ideas in a **virtual** environment before spending millions of dollars in the real world.
2. **Virtually** all **faculty** have returned for the new school year.
3. Thanks to fiber optics, we can now transmit vast amounts of information **virtually** instantly.

▷ 4. Este catálogo tem detalhes de **quase/praticamente** todos os discos de jazz lançados até hoje.

RECAPITULANDO

1. **Champion** subst. – além de "campeão", também significa ______________________
2. **Dramatic** adj. – além de "dramático", também significa ______________________
3. **Figure** s. – além de "figura", também significa ______________________
4. **Material** s. – além de "material", também significa ______________________
5. **Plant** s. – além de "planta", também significa ______________________
6. **Realize** v. – além de "realizar", também significa ______________________
7. **Virtually** adv. – além de "virtualmente", também significa ______________________

TREINO DE MEMÓRIA

► Anote aqui, de memória, algumas palavras capciosas que você aprendeu nesta seção. Ao encontrá-las nas suas leituras em inglês, você já estará alerta. Em vez de aceitar automaticamente o significado mais comum, que pode estar errado, analise bem a frase e perceba o significado exato da palavra **no contexto**.

SAY IT IN ENGLISH!

► Empregue algumas dessas palavras capciosas em frases em inglês, mesmo bem simples, mostrando o sentido ausente no cognato em português. Escrever ajuda muito a assimilar essas palavras sujeitas a erros de compreensão e tradução:

Respostas Sugeridas

PARTE I – FALSOS COGNATOS

Note bem: Há outras soluções possíveis e corretas além das apresentadas aqui.

Muitas respostas omitem a parte mais fácil da frase.

15 EXERCÍCIO PRELIMINAR

- ▶ 1. Tenho que pedir licença aos meus **pais**.
- ▷ 2. All **my relatives/my whole family** came to my wedding.
- ▶ 3. MaryAnn não é meu nome **verdadeiro**, apenas um nome artístico.
- ▶ 4. Você acompanha os acontecimentos **atuais**?

18 ACTUAL adj., ACTUALLY adv.

1. c

Legenda da ilustração: **ACTUAL** SIZE

- ▶ 2. Este animal é, **na verdade**, uma colônia de vários indivíduos distintos.
- ▶ 3. Ela descreveu tão bem que parecia que eu estava lá **de verdade/em pessoa**.
- ▶ 4. Como você conheceu seu **atual** namorado?
- ▶ 5. Ela é americana, mas **atualmente** mora no Brasil.
- ▷ 6. What is the main cause/source of the **current/present-day/ongoing** conflicts in the Middle East?
- ▷ 7. It's very hard to diagnose the **actual** problem.
- ▷ 8. **Now/At present/at the moment** I teach English to children and teenagers. /I **currently** teach...
- ▷ 9. I don't have the whole text; **actually**, this is only a fragment.

19 EXERCÍCIO A: FALSOS COGNATOS – SUBSTANTIVOS

1. f
2. b
3. h
4. g
5. d
6. e
7. a
8. c

19 AGENDA s.

- ▶ 1. (b) Essas atividades fazem parte do nosso **Programa** de Oportunidades para Jovens.
- ▶ 2. (a) ... estão muito divididos quanto à **agenda/pauta das discussões**.
- ▶ 3. (c) ... oportunidades para encher os bolsos e satisfazer seus próprios **interesses**.
- ▶ 4. (c) Eu era apenas uma moça **ingênua** e achei que ele desejava, sinceramente, me ajudar. Não percebi que ele tinha **segundas intenções/seus próprios interesses**.
- ▷ 5. "When can we meet?" "Just a second, let me get my **diary**."
- ▷ 6. We are tired of selfish politicians with their **agendas/hidden agendas** that are so harmful for our country.

19 ALUMNUS, ALUMNI s.

▸ 1. Veja abaixo uma lista dos nossos alunos, **ex-alunos** e professores.
▸ 2. O presidente é **ex-aluno** de Harvard /**formado** pela Universidade Harvard.
▹ 3. Dear students and **alumni** – Be welcome!

20 COLLAR s.

▸ 1. Não é permitido entrar no bar de camiseta. Por favor, use **colarinho** e gravata.
▸ 2. Chovia e fazia frio. Levantei a **gola** da minha jaqueta de couro.
▹ 3. She inherited a beautiful pearl **necklace**.
▹ 4. She was wearing a smart/an elegant black coat with a velvet **collar**.

20 COLLEGE s.

▸ 1. Procuramos candidatos **formados**/**de nível universitário**/**com terceiro grau completo** e desembaraço para falar em público.
▸ 2. Então que tal a vida **universitária**, agora que você já é calouro?
▹ 3. **Colleges** around the world are teaching their courses in English.
▹ 4. We started dating in **high school**, when we were still teenagers.

20 EXERCÍCIO B: FALSOS COGNATOS – ADJETIVOS – SINÔNIMOS OU ANTÔNIMOS?

1. A
2. A
3. S
4. S
5. A
6. A

20 COMPREHEND v., COMPREHENSIVE adj.

▸ 1. O processo **compreende**/**abrange**/**consiste de** quatro estágios.
▸ 2. A única falha do livro é a falta de um índice **geral**/**completo**/**abrangente**.
▹ 3. Our system **comprehends** two major components: hardware and software.
▹ 4. He can't/He doesn't **understand** English.
▹ 5. I had to miss several classes but my teachers were very **understanding**.
▹ 6. This is the most **comprehensive** Picasso exhibition ever assembled.

21 COMPROMISE s., v.

▸ 1. A maior inimiga da paz é a intransigência. Todos nós precisamos fazer algumas **concessões**.
▸ 2. Esperamos que os trabalhadores e os patrões consigam chegar a um **acordo**/uma **conciliação**/**solução conciliatória** [NÃO "compromisso"!] para acabar com a greve.
▸ 3. Não fazemos **concessões**/não **transigimos**/não **abrimos mão** da qualidade. Nossos produtos são de primeira classe.

▷ 4. The government must keep/meet its environmental **commitments**.
▷ 5. We are ready to make some territorial **compromises**.

21 DECEPTION s., DECEPTIVE adj., DECEIVE v.

▶ 1. Smith era um comerciante desonesto que enriqueceu às custas de fraudes e **golpes/falcatruas**.
▶ 2. Muitas moças ingênuas já foram **enganadas** por esse sujeito.
▶ 3. Centenas de moradores foram vítimas de um esquema de vendas **fraudulento/desonesto**.
▶ 4. A empresa é acusada de **enganar/ludibriar/iludir** os consumidores com informações [plural!] erradas e ofertas não-existentes. Está sendo processada por **fraude/desonestidade/práticas ilícitas**/ por **enganar** o público.
▷ 5. I hope not to go through another bitter **disappointment/disillusionment**.
▷ 6. Don't be a victim of **deception** and misleading advertising.

21 EXERCÍCIO C: FALSOS COGNATOS – ADJETIVOS (I)

1. c
2. g
3. a
4. e
5. h
6. b
7. d
8. f

22 EVENTUAL adj., EVENTUALLY adv.

▶ 1. ... **finalmente**, **por fim** foi comprado... [Note que a frase está no passado. Como o fato já ocorreu, seria absurda a tradução "eventualmente", que indica um acontecimento incerto, fortuito, que pode ou não ocorrer no futuro.]
▶ 2. b. [Isto é, no futuro, algum dia, ela certamente vai acabar se extinguindo.]
▶ 3. Infelizmente, **algum dia/mais dia**, **menos dia** todos nós vamos morrer.
▶ 4. Quero estudar em Stanford e **futuramente** fazer meu doutorado.
▶ 5. A doação de sangue não deve prejudicar o receptor **final**.
▷ 6. Cloudy weather/skies with **occasional** showers.
▷ 7. I don't have a fixed partner, only **occasional** relationships.
▷ 8. I think **eventually** he'll change his mind.
▷ 9. I don't eat out often, only **occasionally**.
▶ 10. "Eventualmente" em português significa "talvez, às vezes, ocasionalmente"; indica algo que pode ocorrer ou não. **Eventually** significa finalmente, por fim, futuramente; indica algo que com certeza vai acontecer no futuro (após uma série de "eventos").

23 EXQUISITE adj., EXQUISITELY adv.

▶ 1. Comprei uns objetos **belíssimos/finíssimos/refinados/primorosos** de artesanato indiano.
▶ 2. Vimos uma mulher lindíssima, **finamente** vestida/vestida com **refinamento**, **elegância**, **esmero**.
▷ 3. The children thought that woman was very **odd/strange/weird**.
▷ 4. Enjoy our **exquisite** Oriental cuisine.

23 FABRIC s.

► 1. Muitos **tecidos** sintéticos se misturam bem com **tecidos** naturais.
► 2. Qual será o efeito de um influxo/da entrada de centenas de milhares de refugiados no **tecido social** do país?
▷ 3. These pants are made of soft cotton **fabric** (=**material**).
▷ 4. The war has left a visible mark on the region's **social fabric**.
▷ 5. There was a fire at the Ford **plant/factory**.

Legenda da ilustração: These pants are made of soft cotton **fabric**.

24 FABRICATE v.

► 1. O estudo foi falho, e muitas de suas conclusões "científicas" foram **forjadas/falsificadas**.
► 2. O advogado de Smith foi acusado de **forjar** provas para sustentar sua defesa.

24 FACULTY s.

► 1. Há quem afirme ter a **faculdade/capacidade** de se comunicar com os mortos.
► 2. A escola/faculdade contratará mais **professores/docentes** para o Depto. de Matemática.
▷ 3. I take part in a committee of **faculty**, staff/employees and students.
▷ 4. Our **college/school** has three hundred **faculty**.

24 EXERCÍCIO D: EDUCATION

► 1. **faculty** – Nosso estado precisar de 10 mil novos **professores** só para substituir os que vão se aposentar.
► 2. **college** – Ouvi dizer que ele é **formado** em Harvard, Yale ou alguma outra universidade de elite.
► 3. **alumni** – Os que estudaram nesta universidade nunca a esquecem. Temos orgulho da grande lealdade e afeto que nossos **ex-alunos** demonstram por sua *alma mater*/sua universidade [de origem].
► 4. **college** – Meu namorado é legal. O problema é que ele só se formou no secundário, nunca fez **faculdade**.

24 INDIGENOUS adj.

► 1. O jazz é uma forma de arte **natural/originária** dos Estados Unidos.
► 2. O festival vai mostrar/será uma vitrine para o talento do povo **local**/dos habitantes **do país**/da "**prata da casa**". [NÃO dos ~~índios~~ ou dos ~~povos indígenas~~ – Indians, Native peoples.]
► 3. Esta flor não é **nativa/natural** desta ilha; na verdade, se encontra em muitos países.
▷ 4. Few **indigenous** firms are known outside the country.
▷ 5. We offer hundreds of plants species, both **indigenous** and imported.
▷ 6. Some **Native** American tribes have opened casinos on their reservations.

25 INGENIOUS adj., INGENUITY s.

► 1. ... se deve à **criatividade/engenhosidade** do nosso povo.
► 2. ... uma maneira **engenhosa/inventiva/"bem bolada"** de economizar eletricidade.

Por que as traduções estão erradas? – O bom senso alerta: seria impossível atingir a prosperidade ou uma boa maneira de economizar eletricidade por meio da "ingenuidade". Como o contexto deixa claro em ambos os casos, **ingenuity** significa "criatividade", "inventividade", "espírito engenhoso".

► 3. Há maneiras novas e **engenhosas**, **criativas**, **inteligentes** de usar o milho. Pode-se transformá-lo em combustível ou plástico biodegradável.

▷ 4. I'm not **naive** enough to believe in fairy tales.

▷ 5. We were charmed by Alexander Calder's **ingenious** mobiles.

▷ 6. **Ingenuity** and technology offer us hope of a better world.

Legenda da ilustração: We were charmed by Calder's **ingenious** mobiles.

26 LEGEND s., LEGENDARY adj.

► 1. ... mitos e **lendas** de diversas culturas.

► 2. A **legenda** do mapa é perfeitamente clara. [Note que só em casos assim – mapa, cartaz, etc. – **legend** se traduz como "legenda".]

► 3. A primeira-dama ficou **célebre**, **famosa** pelos seus gastos extravagantes.

► 4. Esta é a última entrevista com Jim Morrison, uma **lenda**, um **mito**, **"monstro sagrado"** do rock.

▷ 5. Don Juan is a **legendary** figure of Spanish origin.

▷ 6. **Legend** has it that he never smiled again.

▷ 7. I like watching DVDs with English **subtitles**.

Legenda da ilustração: I like watching DVDs with English **subtitles**.

26 PARENT s., v.

► 1. Saí de férias com meus **pais**.

► 2. ... precisam de uma permissão escrita **do pai ou da mãe**/de **um dos pais**.

► 3. Google (empresa **controladora** do YouTube) está sendo processada pelo uso ilegal de vídeos protegidos por direitos autorais.

▷ 4. I spent a month with my **relatives** in Miami. [Procure RELATIVES.]

▷ 5. My **parents** are still very young.

Legenda da ilustração: My **parents** are still very young.

27 PHYSICIAN s.

► 1. Sou **médico** especializado em medicina do esporte.

► 2. ... um bom **médico** de família (= clínico geral)?

▷ 3. Most **physicists** and astronomers accept the Big Bang theory.

▷ 4. Many **physicians** recommend yearly/annual checkups/clinical exams.

27 PREJUDICE s.

► 1. Por incrível que pareça, em pleno século XXI os gays/homossexuais ainda sofrem/são alvo de **preconceito** de alguns poucos ignorantes.

▷ 2. The company suffered a **loss** of/suffered **losses** of US$ 50,000. [Note a vírgula no milhar.]

▷ 3. Our country must get rid of racial **prejudice**.

27 EXERCÍCIO E: FALSOS COGNATOS – VERBOS

1. f	5. c
2. h	6. a
3. g	7. b
4. e	8. d

28 PRETEND v.

► 1. b
► 2. c
► 3. b. [Note que a alternativa **a)** não cabe em nenhuma das frase. **Pretend** NÃO significa "pretender"!]
▷ 4. My daughter **intends** to be a doctor.
▷ 5. He **pretended** to be a doctor but he was actually just a nurse.
▷ 6. I **intend** to go to the U.S. next year.

28 PROCURE v., PROCUREMENT s.

► 1. ... **comprar/obter/arranjar/conseguir** materiais de construção...
► 2. O Departamento de **Compras/Aquisições/Suprimentos** da nossa empresa precisa comprar gasolina suficiente para suprir/satisfazer nossas necessidades.
▷ 3. Police are **looking for/searching for** the child everywhere.
▷ 4. We must help schools to **procure** equipment.
▷ 5. Exam tips: **Try** not to get/be/feel too nervous.
▷ 6. He managed to **procure** a passport in record time.

28 EXERCÍCIO F: FALSOS COGNATOS – ADJETIVOS (II)

1. f	5. a
2. g	6. c
3. e	7. d
4. h	8. b

29 PUSH v. ≠ PULL v.

► 1. **push** – O motor **enguiçou/deu pane** e tivemos que tirar o carro da estrada e **empurrá-lo** para o acostamento.
► 2. **pulling** – Ela veio chegando, **puxando** a mala de rodinhas.
► 3. **pulling** – No mercado vimos alguns cavalos **puxando** pesadas carroças.
► 4. **push** – Para ligar a máquina, **aperte**/basta **apertar** o botão START.
► 5. **push** – Precisamos **lutar** por uma legislação favorável ao meio ambiente.
► 6. **pulling** – A locomotiva estava **puxando** o trem montanha acima.
▷ 7. The horse was **pulling** a cart.
▷ 8. Don't **push**!

Legendas das ilustrações:

1. We had to **push** the car off the road.
2. She was **pulling** her suitcase along.

30 RESUME v., RESUMPTION s.

▸ 1. Por favor, **continue** sua história.
▸ 2. Você pode clicar no botão PAUSE e **recomeçar/continuar** a jogar com o comando **RESUME**.
▸ 3. Propomos uma imediata **retomada** das conversações.
▹ 4. Russia will **resume** its space program.
▹ 5. I will try to **sum up/summarize** my argument more concisely.
▹ 6. After six months of treatment he **resumed** playing golf.

30 SENSIBLE adj.

▸ 1. Discutimos todos os prós e contras e **percebi** que emigrar era a única decisão **sensata**.
▹ 2. She is a delicate and very **sensitive** child.
▹ 3. We need some **sensible** ideas on education.

30 STRANGER s.

▸ 1. Eu não ia contar meus segredos a um **desconhecido/uma pessoa que eu nem conheço** e que eu acabava de conhecer num ônibus.
▹ 2. Our tourism industry depends on **foreigners**.
▹ 3. I don't want my children talking to **strangers**.

30 TERRIFIC adj.

▸ 1. terrific
▸ 2. terrible
▸ 3. terrific
▹ 4. I can't stand that guy. He's got a **terrible** personality.
▹ 5. One thing I really liked in that hotel: the food was **terrific**.

Legenda da ilustração: He's a **terrific** dancer!

31 UTILITY, UTILITIES s.

▸ 1. Houve um aumento acentuado nas minhas contas de **consumo/água, luz e gás**.
▸ 2. Minha família muitas vezes enfrentava dificuldades extremas, como sofrer cortes de **água, luz e gás**.
▸ 3. **b** – Eis aqui 10 coisas que você pode fazer para reduzir as contas de **consumo/água, luz e gás**.
▸ 4. **a** – Não vejo muita **utilidade** neste acessório extra. Posso passar muito bem sem ele.
▸ 5. **c** – Construímos torres de **eletricidade** e tanques de água.
▸ 6. **d** – As **concessionárias/distribuidoras de eletricidade** subiram muito as tarifas.
▹ 7. I can't afford high **utility** bills, like water, power/electricity and gas.

Legenda da ilustração: I can't afford these high **utility** bills!

32 EXERCÍCIO G: CROSSWORDS – PORTUGUESE INTO ENGLISH

1.	F **A** B R I C
2.	O C **C** A S I O N A L L Y
3.	I N **T** E N D
4.	R E S **U** M E
5.	E V E N T U **A** L L Y
6.	S E N S I B **L** E
7.	N E C K **L** A C E
8.	U T I L I T **Y**

MISCELÂNEA DE TRADUÇÃO E VERSÃO

33 ACTUAL – ACTUALLY – AGENDA – ALUMNUS

► 1. Os **números**/As **estatísticas** oficiais sobre o desemprego são **enganadoras**; o número **real**/**verdadeiro** é muito mais alto.

► 2. Então, o que está acontecendo **realmente**/**mesmo**, no mercado financeiro? Sei que nem tudo o que a gente ouve dizer é verdade.

► 3. Eles afirmam que são nossos amigos, mas o verdadeiro **plano**/**objetivo**/a verdadeira **intenção** deles é tomar o nosso país.

► 4. Resolver o problema dos transportes deveria ser uma **prioridade**/estar no topo da **agenda**/da **pauta** dos legisladores.

▷ 5. The Senator is a Princeton **alumnus**.

▷ 6. His book reveals his disillusionment [NÃO **deception**!] with **present-day** America.

▷ 7. Please don't interrupt the speaker. We have an **agenda** here, we must **address** one issue at a time.

▷ 8. **Actually** I've never been abroad.

33 COLLAR – COLLEGE – COMPREHENSIVE – COMPROMISE

► 1. Seja bem-vindo ao nosso show. Afrouxe o **colarinho** e divirta-se!

► 2. Paguei a **faculdade** sozinho, com o meu trabalho.

► 3. Desejamos uma paz **total**/**abrangente** na região.

► 4. A sociedade precisa chegar a um **meio-termo** [NÃO "compromisso"!] entre as políticas de esquerda e de direita.

▷ 5. It was a white-**collar** crime.

▷ 6. The Prime Minister was forced to make a lot of **compromises** with his political opponents.

▷ 7. The index should be more **comprehensive**.

▷ 8. I finished high school and will start **college** this coming year.

Legenda da ilustração: It was a white-**collar** crime.

34 DECEIVE – DECEPTION – DECEPTIVE – EVENTUAL – EVENTUALLY

▶ 1. "O homem nunca é **enganado**; ele próprio se **engana**." (Goethe)
▶ 2. Quanto ao aquecimento global, o partido do governo está adotando uma estratégia de negar a realidade e **enganar** o público.
▶ 3. ... alegaram que não tinham como saber que a empresa divulgava relatórios financeiros **fraudulentos**, **falsos**.
▶ 4. Foi duro para ela enfrentar a doença e **por fim** a morte do pai.
▶ 5. Com o desenvolvimento dos computadores de mão, **futuramente** os engenheiros poderão fazer todos os seus cálculos no local da construção.
▶ 6. Ela namorou três anos com um homem casado, sempre na esperança de que **algum dia**, **algum dia** ele iria se separar da esposa.
▷ 7. Consumers must learn how to avoid internet fraud and **deception**.
▷ 8. We hope things will **eventually** get better.
▷ 9. In his optimistic view, mankind will **eventually** find ways to eliminate suffering.

34 EXQUISITE – EXQUISITELY – FABRIC – FABRICATE

▶ 1. O hotel tinha lençóis e toalhas **finamente** bordados/com bordados **finos**/**belíssimos**/**requintados**.
▶ 2. ... o **tecido**/a **tessitura** social do país/da sociedade americana estava dilacerada pela Guerra Civil.
▶ 3. No início a descoberta foi louvada como um grande avanço científico, mas depois ficou claro que o autor principal tinha **falsificado**/**cometera uma fraude** em seu trabalho.
▷ 4. Why do they make such short dresses? Is it to save on **fabric**?
▷ 5. This **exquisite** Tiffany glass vase dates from the early 1900s. [Note a letra s em 1900s significando o século XX, não o ano de 1900.]
▷ 6. There is evidence that the researcher **fabricated** his findings.

Legenda da ilustração: This **exquisite** Tiffany glass vase dates from the early 1900s.

35 FACULTY – INDIGENOUS – INGENIOUS – INGENUITY

▶ 1. Nossas universidades precisam preencher milhares de novos cargos **docentes**.
▶ 2. O ministro argumentou que a imigração pode prejudicar os trabalhadores não-especializados **locais**/**do país**.
▶ 3. Ele foi um **engenhoso** inventor de charadas e problemas matemáticos.
▷ 4. Our site is full of ideas for students and **faculty**.
▷ 5. We can offer some excellent products thanks to the **ingenuity** of our Research & Development people/staff.

35 LEGEND – LEGENDARY – PARENT – PHYSICIAN

▶ 1. Essa história é pura **lenda**, sem nenhuma verdade histórica.
▶ 2. ... a **lendária**/**mítica** Fonte da Juventude.
▶ 3. Consulte/Peça orientação/conselho ao seu **médico** antes de tomar qualquer remédio.
▷ 4. We were anxious/eager to meet the **legendary** inventor.
▷ 5. My **parents** still love each other/are still in love with each other.
▷ 5. I have many/a lot of **relatives** scattered round/around the world.

35 PREJUDICE – PRETEND – PROCURE – PROCUREMENT

- ▶ 1. Precisamos nos libertar de muitos **preconceitos** infundados/sem fundamento.
- ▶ 2. Nessa novela, o milionário William **finge** que é pobre, e Sandra, uma simples empregada, **finge** que é uma rica herdeira.
- ▶ 3. "Nunca tive a **pretensão** de ter soluções mágicas para resolver um conflito de cem anos..."
- ▶ 4. Desculpe, mas o senhor precisa **providenciar/obter/conseguir** um Certificado de Residência antes de pedir/solicitar um passaporte.
- ▷ 5. "To be a great champion you must believe you are the best. If you're not, **pretend** you are." (Muhammad Ali)
- ▷ 6. I don't **pretend** to remember all the details; this happened long ago.
- ▷ 7. I work in the **Procurement** Department.

35 PUSH – PULL

- ▶ 1. No jogo de cabo-de-guerra, duas equipes **puxam** uma corda em direções opostas.
- ▶ 2. **Puxei** a maçaneta, chutei e empurrei a porta com toda a força com o ombro, mas ela não abria de jeito nenhum.
- ▶ 3. Precisamos **lutar/fazer pressão/pressionar** as fábricas de automóveis para procurarem combustíveis alternativos.
- ▷ 4. Don't **pull** the hand brake!
- ▷ 5. In the park we saw a young mother **pushing** her baby carriage.

Legenda da ilustração: In the park we saw a young mother **pushing** her baby carriage.

36 RESUME – SENSIBLE – STRANGER

- ▶ 1. As negociações de paz serão **reiniciadas/retomadas** em breve.
- ▶ 2. Nenhuma mulher **sensata** se casaria com aquele sujeito.
- ▶ 3. ... tive de deixar o bebê aos cuidados de **gente estranha**.
- ▷ 4. Push/Press the PAUSE button again to **resume** playing.
- ▷ 5. He's anxious to **resume** working/**resume** his work after this long break.
- ▷ 6. Try to settle/solve your disputes in a **sensible** manner.
- ▷ 7. I never give my address to **strangers**.

36 TERRIFIC – UTILITIES

- ▶ 1. Você gostaria de entrar em uma empresa **fantástica/excelente** sempre de olho no futuro?
- ▶ 2. Eis algumas maneiras simples de economizar nas suas **despesas/contas de consumo** (água, luz, gás, aquecimento).
- ▷ 3. This product delivers a **terrific** performance improvement.
- ▷ 4. Monthly rent: $1,200 (**utilities** not included). [Note a vírgula no milhar.]

PARTE II – POLISSEMIAS E OUTRAS PALAVRAS CAPCIOSAS

39 EXERCÍCIO PRELIMINAR

- ▸ 1. ... com uma **cauda** bordada.
- ▸ 2. ... **Mal passado**, bem **mal passado**!
- ▸ 3. ... **sala de operações**/de **cirurgia**
- ▸ 4. ... o **cano** da metralhadora...
- ▸ 5. ... **libreto** [Isto é, o texto de uma ópera.]

41 QUAL A GRAÇA DO TROCADILHO?

6. **Sign** pode ser "**assine**" (do verbo "assinar") ou "**signo**" (do zodíaco).

42 ADDRESS s., v.

- ▸ 1. ... **dirigiu** calorosas palavras...
- ▸ 2. Queira informar seu **endereço** completo, incluindo a zona postal.
- ▸ 3. Cada problema deve ser **abordado**/**tratado**/**estudado**/**examinado**/**considerado** de todos os ângulos.
- ▸ 4. Em sua **fala**/seu **pronunciamento** semanal ao país, o presidente afirmou que o seguro saúde/os planos de saúde devem ser mais acessíveis.
- ▹ 5. I have several e-mail **addresses**.
- ▹ 6. The president will **address** the nation on Saturday.

42 ALIEN adj.

- ▸ 1. c
- ▸ 2. a
- ▸ 3. b
- ▸ 4. c
- ▸ 5. c [A opção **d** está errada. **Alien** NÃO é "inimigo".]
- ▸ 1. Os Estados Unidos têm milhões de **imigrantes**/**estrangeiros** sem documentos/em situação ilegal.
- ▸ 2. Certas pessoas afirmam ter visto **seres alienígenas**/**ETs**/**extraterrestres** e discos voadores.
- ▸ 3. ... encontram um ambiente muito **estranho**/ **diferente**/ **desconhecido**.
- ▸ 4. ... entre os **estrangeiros** que chegam em caráter temporário e os que desejam fixar residência.
- ▸ 5. Espécies **exóticas**/**invasoras**/**vindas de fora** estão destruindo **nossa** flora e **nossa** fauna/a fauna e a flora **nativas**/**endêmicas** da nossa região.

43 CHAMPION s., v.

- ▸ 1. Quantas horas por dia é preciso treinar para ser **campeão** de skate?
- ▸ 2. Como primeira-dama ela **defende**/**luta** pelas crianças e pelas artes.

▷ 3. Betinho was a **champion** of the poor and hungry.
▷ 4. The Prime Minister **champions** competition and free market policies.

43 CHINA s.

► 1. ... gastar uma fortuna com **porcelanas/louças** finas.
► 2. Vendemos conjuntos completos de **louça/porcelana** de alta qualidade.
▷ 3. Set the table with my best **china**.

Legenda da ilustração: I set the table with my best **china**.

43 CONDITION s.

► 1. Ela sabia que tinha uma **doença** cardíaca/sofria do coração e estava se arriscando.
▷ 2. We have treated about eight thousand/8,000 patients with forty different **conditions**.

44 COSTUME s.

1. b)
▷ 2. I don't have the **habit** of watching /I don't **usually** watch soap operas.
▷ 3. I loved the play, especially the sets and **costumes**.
▷ 4. I won the prize for best Halloween **costume**.

44 CUSTOM s.

► 1. ... foi enterrado segundo os **costumes/hábitos** islâmicos.
▷ 2. Foreigners must respect our **habits and customs**.

44 CUSTOMS s. pl.

► 1. A **alfândega** americana já apreendeu toneladas de narcóticos em portos e aeroportos.
▷ 2. Arriving international passengers must **clear customs/get through the Customs**.

44 DATA s. pl.

► 1. Nossos **dados** mostram claramente a correlação entre o fumo/o cigarro e o câncer.
► 2. Sou especialista em processamento de **dados** e administração de **banco de dados**.
► 3. ... cada transação, **cada dado** é processado instantaneamente.
▷ 4. The scientist was accused of **fabricating**/falsifying/forging his **data**.

44 DEPUTY s.

► 1. Na ausência do ministro, ele deverá ser substituído pelo seu **vice/assessor principal/segundo no comando**.
► 2. O diretor-executivo entregou suas responsabilidades cotidianas para seus **assessores** de confiança.
▷ 3. The President or his **deputy** will sign the agreement next Friday.

45 EXERCÍCIO A: SUBSTANTIVOS – SINÔNIMOS (I)

1. d
2. e
3. f
4. g
5. a
6. b
7. c

45 DRAMATIC adj.

1. Não, porque as frases 3 e 4 tratam de acontecimentos positivos, sem conotação de "drama". Nelas a palavra **dramatic** significa "marcante, impressionante, de grande impacto".
▶ 2. Houve um aumento **dramático/acentuado/preocupante** no desemprego e no alcoolismo.
▶ 3. Houve um aumento **extraordinário/espetacular** nos índices de alfabetização e escolaridade.
▶ 4. Houve melhoras **acentuadas/extraordinárias** na economia do país.
▶ 5. ... acontecimentos **dramáticos/emocionantes** da Segunda Guerra Mundial.
▷ 6. Encouragement and praise can have **dramatic** effects on learning.

45 DRAMATICALLY adv.

▶ 1. ... deve ter um crescimento **espetacular/extraordinário**...
▶ 2. ... retardar **radicalmente/drasticamente** o envelhecimento humano.
▶ 3. O nível de vida varia **muito/muitíssimo/enormemente** entre os diferentes países e regiões
4. Não. Todas tratam de acontecimentos positivos, ou usam **dramatically** como sinônimo de "muito". Nenhuma trata de acontecimentos "dramáticos".
▷ 5. New teaching methods have **dramatically** improved our school results.

46 FACILITY, FACILITIES s.

▶ 1. ... têm **fábricas/unidades** de produção na Coréia.
▶ 2. Os médicos rurais/do interior precisam se arranjar com **enfermarias/clínicas/instalações** inseguras e decrépitas.
▶ 3. ... no **escritório/posto** da FedEx no Rio de Janeiro.
▶ 4. O jovem suspeito está detido em um **centro**/uma **unidade** de detenção para menores.
▷ 5. The factory/plant has a large storage **facility**.

46 FIGURE s.

▶ 1. A Ford divulgou seus **resultados financeiros/números**/seu **balanço** do primeiro trimestre.
▶ 2. Preciso fazer regime/dieta para manter a **forma/silhueta**.
▶ 3. A editora pagou uma quantia de seis **dígitos** [mais de U$ 100.000] pelo original.
▶ 4. Este é um prático guia de viagem que lhe dará as **informações/estatísticas/números/dados** corretos antes da sua próxima viagem.
▷ 5. Sorry, but your **figures** are wrong. You should add five percent here.

46 GRAPHIC adj., GRAPHICALLY adv.

▶ 1. Aprenda a resolver problemas com criatividade usando meios visuais e **gráficos**.
▶ 2. Aviso: Esta é uma história para adultos, com sexo **explícito**, violência **explícita**.
▶ 3. Seus atos violentos são descritos no livro de maneira vívida, por vezes **chocante**.
▷ 4. The website has **graphic** photos of the casualties.

47 HUMAN s.

▶ 1. ... dos animais para **o homem**.
▶ 2. Quais as principais diferenças entre o **ser humano**/o **homem** e os outros mamíferos?
▶ 3. ... nós, os **seres humanos**, não somos mais necessários?
▷ 4. This product does not do any harm/is not harmful at all to **humans**.

47 HUMANE adj., HUMANELY adv.

▶ 1. **humane** – Nossos animais recebem tratamento **humanitário**, com alimento, água e abrigo adequados.
▶ 2. **humans** – As autoridades sanitárias temem que o vírus se transmita dos porcos e das vacas para o **homem**/**o ser humano**.
▶ 3. **human** – Os chimpanzés são semelhantes às **pessoas**/O chimpanzé é semelhante ao **homem**/ao **ser humano** em muitos aspectos.
▶ 4. **humanely** – Os prisioneiros estão sendo tratados **humanamente**/recebendo tratamento **humanitário**.
▷ 5. Our group struggles for a more **humane** system for mental patients.

47 INTEREST s.

▶ 1. Meu filho está criando um vivo **interesse** pela astronomia.
▶ 2. Os investidores querem ter certeza de que vão recuperar seu capital com **juros**.
▷ 3. What is the current **interest** rate for bank loans?

47 MATERIAL s.

▶ 1. **b** – Esses ornamentos são feitos de diferentes **materiais** como cobre, ouro, prata etc.
▶ 2. **c** – Seu casaco era de um **tecido** fino, impróprio para o inverno.
▶ 3. **a** – A seda é um **material** extraordinariamente forte/resistente, mais forte que o aço.
▷ 4. Flannel is a warm, comfortable **material** (= **fabric**).

47 MATERIAL adj.

▶ 1. O balanço deve revelar todas as informações **pertinentes** à saúde financeira da empresa.
▶ 2. O juiz declarou que as provas apresentadas não eram **importantes**/**relevantes**/**pertinentes** ao caso.
▶ 3. Ele é uma testemunha **essencial** no julgamento.
▷ 4. Sorry, but these documents are not **material** to the issue at hand.

48 PLANT s.

- ▶ 1. Há muitas espécies de **plantas** venenosas.
- ▶ 2. Várias grandes **fábricas** estão fechando...
- ▶ 3. A **usina** nuclear de Chernobil sofreu...
- ▷ 4. The Itaipu (Hydroelectric) **Power Plant** provides 25% of the energy consumed in/by Brazil.

48 RARE adj.

- ▶ 1. Foi uma coincidência extremamente **rara/raríssima**.
- ▶ 2. Quando comer fora, evite carne crua ou **mal passada**.
- ▷ 3. Which are the **rarest** animals in the world?
- ▷ 4. Serve **rare** or **medium rare**.

48 REALIZE v., REALIZATION s.

- ▶ 1. ... onde os adolescentes podem **realizar** todo o seu potencial.
- ▶ 2. Só **percebi/compreendi/atinei/me dei conta** das conseqüências de usar três cartões de crédito quando já era tarde demais.
- ▶ 3. **Perceber** isso me fez mudar de hábitos. Agora eu só compro o que eu realmente preciso/o estritamente necessário.
- ▷ 4. Many university/college students still don't **realize** the dangers of alcohol abuse.

48 RELATION s., RELATIVE s.

- ▶ 1. Descobri que ele é meu **parente** distante.
- ▷ 2. I spent a month with my **relatives** in Italy.
- ▷ 3. Here are some pictures of my friends and relations/relatives.

49 SUBSTITUTE v., SUBSTITUTION s.

- ▶ 1. Com todas as suas falhas... a ONU continua representando a esperança mais bem organizada pelo homem até hoje **de substituir o campo de batalha pela mesa de conferências**." [Construção oposta ao português!]
- ▶ 2. Os vegetarianos podem **substituir** a carne pelo queijo [Construção oposta ao português!] /podem comer/consumir/utilizar queijo **em vez de** carne. [Construção igual ao português.]
- ▶ 3. Dicas/Conselhos para uma alimentação mais saudável: **Substitua** os refrigerantes normais pela água ou por refrigerantes diet. [Construção oposta ao português!] /Tome água ou refrigerantes diet **em vez de** refrigerantes normais.
- ▶ 4. Nosso corpo precisa de fibras todos os dias. **Substitua** o pão branco pelo pão integral, rico em fibras. [Construção oposta ao português!] /Coma pão integral, rico em fibras, **em vez de** pão branco.
- ▶ 5. A energia eólica e a energia solar podem **substituir** parcialmente os combustíveis fósseis importados.
- ▶ 6. Os programas brasileiros para **substituir** a gasolina pelo álcool (etanol) [construção oposta ao português!] estão chamando a atenção mundial.
- ▷ 7. As a healthy snack, **substitute** an apple for chips/potato chips. [Construção oposta ao português!]

Legenda da ilustração: ... **substitute** an apple for chips/potato chips.

50 VIRTUAL adj.

- ► 1. ... mas ela não é uma mulher **real**, mas sim uma criatura **virtual**, nascida/produto de um avançado programa de computador.
- ► 2. Susan era **quase/praticamente** desconhecida quando foi escolhida para o papel de Julieta.
- ► 3. Se não fizermos nada a respeito, poderemos testemunhar a extinção **praticamente total** dos elefantes nos próximos 20 anos.
- ▷ 4. I like to play **virtual** reality games.

50 VIRTUALLY adv.

- ► 1. E.A. Poe **praticamente** criou /foi **praticamente** o criador da história de detetive.
- ► 2. Você pode assistir às aulas em pessoa/pessoalmente/ao vivo ou estudar **à distância/online/pela internet**/por meios **virtuais**.
- ► 3. O novo ministro não tem experiência administrativa **quase/praticamente** nenhuma.
- ▷ 4. Communism has **virtually** disappeared from Western Europe.

50 EXERCÍCIO B: SUBSTANTIVOS – SINÔNIMOS (II)

1. h	5. d
2. e	6. b
3. g	7. a
4. f	8. c

MISCELÂNEA DE TRADUÇÃO E VERSÃO

51 ADDRESS – ALIEN

- ► 1. Precisamos **tratar/enfrentar/lidar com/dar atenção** à questão do aquecimento global agora mesmo. Amanhã será tarde demais.
- ► 2. O diretor-executivo **falou/se dirigiu/discursou** aos acionistas sobre questões relevantes para a empresa.
- ► 3. Não se deve **tratar/chamar** uma mulher casada de "senhorita".
- ► 4. Há dezenas de plantas **exóticas/invasoras/vindas de fora** que ameaçam a nossa flora **nativa**.
- ▷ 5. **Aliens** without valid papers risk being deported.

51 CHAMPION – CHINA – CONDITION – RARE

- ► 1. Muhamad Yunus, natural de Bangladesh e pioneiro do microcrédito, é um **defensor** dos pobres.
- ► 2. Pode-se ter uma intoxicação alimentar e outras **doenças** graves comendo carne **mal passada** ou mal cozida.
- ▷ 3. We imported a magnificent set of French **china**.
- ▷ 4. Many elderly people are living with at several chronic **conditions**.

51 EXERCÍCIO 3: ADJETIVOS – SINÔNIMOS OU ANTÔNIMOS?

1. S
2. A
3. A
4. S
5. S
6. S
7. A

52 COSTUME – CUSTOM – CUSTOMS

► 1. **costume** – Onde posso alugar uma **fantasia** de Carnaval?
► 2. **customs** – Funcionários da **alfândega**/Agentes **alfandegários** confiscaram...
► 3. **costume** – Eu crio/desenho **figurinos/trajes** e acessórios para teatro e cinema.
▷ 4. **customs** – Some Indian/Native tribes still live according to their traditional **customs**.
▷ 5. **customs** – Wait just a second, I still have to clear **customs**/go through **customs**.

52 DRAMATIC – DRAMATICALLY

► 1. Esse foi o eclipse lunar mais **impressionante/espetacular** deste ano.
► 2. Conseguimos fazer algumas melhoras **extraordinárias** no nosso planos.
► 3. Muita gente afirma que votar online/pela internet não só reduziria **acentuadamente/muito** o tempo de contagem dos votos, como também garantiria um resultado mais confiável.
▷ 4. In the 1990s computer science made **dramatic** progress.
▷ 5. Crime in New York has fallen **dramatically** over the last decade.

52 DATA – DEPUTY – FACILILTY, FACILITIES – FIGURE

► 1. ... ainda está usando os **dados** antigos.
► 2. ... devem ter **silos/depósitos/locais** adequados para armazenar seus cereais.
► 3. ... enviarão seus ministros do exterior ou **representantes** destes...
► 4. **Representantes/enviados/delegados** dos dois países participaram das negociações comerciais, **fazendo pressão/promovendo/lutando por propostas** conflitantes acerca de impostos e subsídios.
► 5. O **centro/unidade** da NASA em Houston faz pesquisas [plural!] sobre tecnologia espacial.
► 6. O público precisa de **fatos/números/dados/informações** verídicas sobre as questões nucleares.
▷ 7. We need updated and reliable **data/facts and figures**.

53 GRAPHIC – GRAPHICALLY

► 1. Cidade de Deus – Este filme **realista/revelador/chocante** lança um olhar implacável para as ruas perigosas das favelas do Rio.
► 2. Seus atos violentos são descritos no livro de maneira vívida, por vezes **chocante**.

53 HUMAN – HUMANE

- 1. **humans** – ... pretendem mandar **seres humanos** à lua e **futuramente/depois** a Marte.
- 2. **humane** – ... trabalha pelo tratamento **humanitário** dos animais.
- 3. **human** – O banco afirma que oferece um bom serviço, mas quando as coisas dão errado, é difícil falar no telefone com uma **pessoa** real/com **gente** de carne e osso.

Legenda da ilustração: It's hard to get a live **human** on the phone.

54 INTEREST – MATERIAL – PLANT

- 1. Emprestei dinheiro do banco e tive que pagar **juros** altíssimos.
- 2. A acirrada competição estrangeira está obrigando a montadora a fechar suas **fábricas**.
- 3. Essa pobre gente perdeu todos os seus **bens materiais** na enchente.
- 4. Todas as informações **relevantes/pertinentes** devem ser incluídas.
- ▷ 5. All our shirts are made of 100% cotton **material**.

54 REALIZE – REALIZATION – RELATION – RELATIVE

- 1. É difícil **perceber/compreender/atinar** apenas pela observação que não estamos no centro do sistema solar.
- 2. Por fim ele **compreendeu/percebeu/se deu conta/"caiu na real"**: não era tão talentoso como o irmão, nem de longe.
- 3. ... são caríssimos em **relação** às outras despesas.
- 4. Passei as férias de verão com meus **pais** na casa dos nossos **parentes** em Sidney.
- 5. ... Devido às posições **relativas** do sol, da terra e da lua.
- ▷ 6. All my **relatives** came from Italy.

Legenda da ilustração: All my **relatives** came from Italy.

55 SUBSTITUTE – SUBSTITUTION

- 1. O óleo de oliva é mais saudável do que a manteiga. Pode-se **usar** o óleo de oliva **no lugar da** manteiga /O óleo de oliva pode **substituir** a manteiga [construção oposta ao português!] em quase qualquer receita.
- 2. Os que gostam de refrigerantes costumam consumir essas bebidas **no lugar do** leite/**substituir** o leite por essas bebidas. [Construção oposta ao português!] Assim, estão mais sujeitos à deficiência de cálcio.
- 3. ... Posso **substituí-lo** por alguma outra coisa?/Existe alguma coisa que eu possa usar em **substituição/no lugar** dele?
- 4. A queda acentuada no preço dos equipamentos é um incentivo para **substituir** a mão-de-obra humana pela tecnologia.
- 5. ... é só a ponta do iceberg na **substituição** do papel pelos computadores.
- ▷ 6. At the moment it is not economical for most Americans to **substitute** ethanol for gasoline.

55 VIRTUAL, VIRTUALLY

- 1. Usando modelos/simulações computacionais, os cientistas podem testar novas idéias em um ambiente **virtual**, antes de gastar...
- 2. **Quase/Praticamente** todos os **professores** já voltaram para o novo ano escolar.

▸ 3. Graças à fibra óptica, hoje podemos transmitir vastas quantidades de informações de maneira **praticamente** instantânea.

▹ 4. This catalogue has details of **virtually** every jazz record ever released.

55 RECAPITULANDO

1. defensor
2. intenso, acentuado
3. número
4. tecido
5. fábrica
6. compreender, perceber, atinar
7. praticamente, quase

◆

BIBLIOGRAFIA

DICIONÁRIOS INGLÊS-PORTUGUÊS

- Houaiss, Antonio. *Dicionário Inglês-Português.* Rio de Janeiro, Record, 1982.
- Lando, Isa Mara. *VocabuLando – Vocabulário Prático Inglês- Português.* São Paulo, DISAL, 2006.
- Marques, Amadeu. *Dicionário Inglês-Português Português-Inglês.* São Paulo, Ática, 2004.

PRINCIPAIS DICIONÁRIOS DA LÍNGUA INGLESA

- www.onelook.com
- www.thefreedictionary.com

DICIONÁRIOS DA LÍNGUA PORTUGUESA

- Buarque de Holanda, Aurélio. *Novo Dicionário Eletrônico Aurélio* – versão 5.0
- Houaiss, Antonio. *Dicionário Eletrônico Houaiss da Língua Portuguesa.* Rio de Janeiro, Objetiva, 2001.

DICIONÁRIOS ETIMOLÓGICOS

- The American Heritage Dictionary of the English Language
- Online Etymology Dictionary www.etymonline.com

OBRAS SOBRE FALSOS COGNATOS E PALAVRAS CAPCIOSAS

- Soares dos Santos, Agenor. *Guia Prático da Tradução Inglesa.* Rio de Janeiro, Campus, 2007.
- Soares dos Santos, Agenor. *Dicionário de Anglicismos e de Palavras Inglesas Correntes em Português.* Rio de Janeiro, Campus, 2006.
- Tagnin, Stella E. O.. *O jeito que a gente diz – Expressões convencionais e idiomáticas.* São Paulo, DISAL, 2005.

PRINCIPAIS FONTES DE EXEMPLOS

- Google
- The New York Times, Newsweek, CNN
- BBC, The Guardian, The Economist

◆

SOBRE A AUTORA

Isa Mara Lando é nascida em São Paulo (1947) e radicada no Rio de Janeiro desde 2002. Estudou na Escola Caetano de Campos, na USP e na PUC. Formou-se na Cultura Inglesa de São Paulo, onde lecionou durante dez anos, especializando-se em compreensão de leitura e preparação para os exames de Cambridge – Proficiency.

Foi assistente nas editoras Ática e Rio Gráfica, responsável pela escolha de tradutores e revisão das traduções.

A partir de 1986 começou a traduzir para várias editoras, sempre cuidando de anotar as dúvidas e as soluções encontradas, o que veio a ser o germe de seus livros *VocabuLando* e *VocabuLando Workbook*. Entre os autores, George Orwell, Salman Rushdie, Susan Sontag, John Fante, Bernard Malamud, Norman Mailer, Amós Oz, Yukio Mishima, Philip Dick, Edgar Alan Poe, Emily Dickinson,

Traduziu ainda centenas de artigos para publicações como The Wall Street Journal, Valor Econômico, Harvard Business Review, National Geographic, revista Piauí e outras.

Para o teatro traduziu *Angels in America*, de Tony Kushner, e o musical *Violinista no Telhado*, encenados em São Paulo, em parceria com Iacov Hillel e George Schlesinger.

Vem se dedicando a escrever novos livros e a ministrar aulas, presenciais e online, a convite de diversas entidades, como ABRATES, ProfT, Curso Brasillis, Escola de Tradutores, Translators 101, assim como oficinas práticas independentes no Rio de Janeiro e outras cidades.

Seu contato é bem-vindo: **isamaralando@gmail.com**

PRINCIPAIS OBRAS DA AUTORA

DISAL EDITORA

- *VocabuLando – Vocabulário Prático Inglês-Português* – várias edições desde 2000, mais de 15 mil exemplares vendidos
- *VocabuLando Workbook* – Exercícios de Tradução e Versão (5ª ed.)
- *Mini VocabuLando* – 500 Palavras úteis para leitura e tradução em inglês
- *Loucas Noites* – 55 Poemas/Poems de Emily Dickinson

  No YouTube: Ouça 5 poemas de Emily Dickinson extraídos de *Loucas Noites*, declamados pela tradutora em inglês e em português (3 minutos).
- *Thank You, Mrs.Goldman* – ensina como escrever cattas em inglês.

PRINCIPAIS TRADUÇÕES DA AUTORA

Lista completa: DITRA – Dicionário de Tradutores (UFSC)
http://www.dicionariodetradutores.ufsc.br/pt/index.htm

COMPANHIA DAS LETRAS

George Orwell	*O Caminho para Wigan Pier*
Salman Rushdie	*Haroun e o Mar de Histórias*
Bill Bryson	*Em casa – Uma história da vida doméstica*
Walter Isaacson	*Einstein – Sua vida, seu universo*
Alvin E. Roth	*Como funcionam os mercados: A nova economia das combinações e do desenho de mercados*
James Ballard	*Milagres da Vida — De Shanghai a Shepperton: Uma autobiografia*
E.O. Wilson	*A criação – Como salvar a vida na terra*
Sam Harris	*Carta a um país cristão*
Jostein Gaarder	*Através do espelho*
Amos Oz	*Pantera no porão*
Susan Sontag	*O amante do vulcão*
Anne Tyler	*Quase santo*
Bernard Malamud	*Retratos de Fidelman*
Norman Mailer	*O grande vazio*
Michael Cunningham	*Uma casa no fim do mundo*

BRASILIENSE

John Fante	*Rumo a Los Angeles*
Susan Hinton	*Rumble Fish: O selvagem da motocicleta*
Patricia Highsmith	*Ripley debaixo d'água*
Harry Kemelman	*Domingo o rabino ficou em casa*
Rex Stout	*Ser canalha*
Philip K. Dick	*Identidade perdida*

OUTRAS EDITORAS

Al Gore	*Uma verdade inconveniente – A crise do clima* (Manole)
Rebecca Solnit	*Os homens explicam tudo para mim* (Pensamento-Cultrix)
Napoleon Chagnon	*Nobres selvagens: Minha vida entre duas tribos perigosas: Os ianomâmis e os antropólogos* (Três Estrelas)
Robert Cumming	*Para entender a arte* (Ática)

TEATRO

Tony Kushner	*Angels in America / Perestroika*
Stein & Harnick	*Violinista no Telhado*
Rice & Weber	*José e Seu Manto Tecnicolor*

INFANTIS E JUVENIS

Lauren Child	Série *Clarice Bean* (Atica)
Megan McDonald	Séries *Judy Moody* e *Chiclete* (mais de 20 livros) (Moderna)

CONHEÇA TAMBÉM ESTES LIVROS DA AUTORA

Este livro foi composto nas fontes Fago Condensed e Kepler Std Condensed e impresso
em janeiro de 2025 pela Paym Gráfica Editora Ltda., sobre papel offset 75g/m².